수능까지 연결되는
초등

디딤돌
독해력

디딤돌 독해력[초등국어] 4

펴낸날 [초판 1쇄] 2018년 11월 1일 [초판 13쇄] 2024년 4월 15일
펴낸이 이기열
펴낸곳 (주)디딤돌 교육
주소 (03972) 서울특별시 마포구 월드컵북로 122 청원선와이즈타워
대표전화 02-3142-9000
구입문의 02-322-8451
내용문의 02-325-6800
팩시밀리 02-338-3231
홈페이지 www.didimdol.co.kr
등록번호 제10-718호
구입한 후에는 철회되지 않으며 잘못 인쇄된 책은 바꾸어 드립니다.
이 책에 실린 모든 삽화 및 편집 형태에 대한 저작권은
(주)디딤돌 교육에 있으므로 무단으로 복사 복제할 수 없습니다.
Copyright ⓒ Didimdol Co. [1901840]

※ (주)디딤돌 교육은 이 책에 실린 모든 글의 출처를 찾기 위해
　최선의 노력을 기울였습니다.
　저작권자를 찾지 못해 허락을 받지 못한 글은 저작권자가 확인되는 대로
　통상의 사용료를 지불하겠습니다.

독해

초등부터 시작하고
수능까지 연결하라

5
글의 구조를 떠올리며 읽어요

1주	글쓴이가 말하고자 하는 생각을 파악해요
2주	여러 가지 설명 방법을 이해해요
3주	글의 짜임을 파악해요
4주	글의 종류에 따라 읽기 방법을 달리해요
5주	글의 구조에 따라 내용을 요약해요
6주	자료의 특성을 생각하며 읽어요
7주	인물, 사건, 배경의 관계를 이해해요
8주	여러 가지로 해석되는 낱말의 뜻을 짐작해요

6
글과 소통하며 능동적으로 읽어요

1주	관용 표현의 뜻을 이해해요
2주	주장과 근거의 타당성을 판단해요
3주	글을 읽으며 지식과 경험을 활용해요
4주	글에 드러나지 않은 내용을 추론해요
5주	글쓴이의 관점이나 의도를 파악해요
6주	작품 속 인물을 자신과 관련지어 이해해요
7주	내용과 표현의 적절성을 판단해요
8주	비유하는 표현을 이해해요

기초를 다진 후에
본격 독해로 LEVEL UP

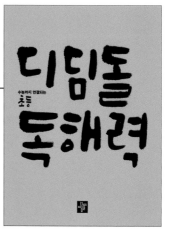

독해는 초등부터
시작해야 합니다

'독해는 고학년이 되면 잘할 수 있겠지.' 라고 막연하게 생각하고 계신가요?

하지만 학년이 높아져도 글 읽기를 어려워하는 학생들이 많이 있습니다.

글을 '제대로' 읽어보려는 노력 없이 독해력을 저절로 기를 수는 없습니다. 단순히
눈으로 활자를 읽어내는 것이 아니라, 읽은 내용을 토대로 **적극적으로 사고하는**
'독해'를 하려면 초등생 때부터 **체계적이며 반복된 훈련이 필요**합니다.

독해력은 단기간에 기를 수 없기에,
일찍 시작해서 차곡차곡 쌓아야 합니다!

모든 공부의 기본과 기초는 독해입니다.

교과서의 내용은 물론 인터넷, 신문 등 일상에서 접하는 지식과 정보가 대부분
글로 이루어져 있기 때문입니다.

기본적으로 독해력이 튼튼하게 뒷받침된 학생은 학교 공부도 잘합니다.

사고력이 커지며 스스로 생각하는 힘을 키우는

초등생이 독해 공부를 시작하기 딱 좋은 시기입니다.

독해를 일찍 공부한 학생
- 국어뿐 아니라, 다른 교과 내용도 수월하게 이해함.
- 정보를 읽고 받아들이는 힘이 생겨 자기주도적 학습 능력이 향상됨.
- 의사소통 능력이 향상됨.
→ 꾸준하고 의도적인 노력을 통해 독해력을 길러야 합니다.

독해는 수능까지
연결되어야 합니다

이제 초등생인데 수능이라니요. 제목만 보고 당황하셨지요?

하지만 이 책에서 '수능'을 언급한 것은 초등학생 때부터 수능 시험을 대비하자는 의미가 아닙니다.

뜬구름을 잡는 것처럼 무작정 많이 읽는 비효율적인 공부가 아니라, **'학교 시험'과 '수능'이라는 목표를 향해 제대로 첫 발자국을 내딛자**는 의미입니다.

초등에서 고등까지,
독해의 기본 원리는 같습니다!

일반적으로 국어 학습 내용은 나선형으로 심화된다고 이야기합니다. 학습 내용이 이전 학년의 것을 기본으로 점차적으로 어려워지고, 많아지고, 깊어지기 때문입니다. 그 중에서도 특히 '독해'는 초등에서 고등까지 핵심 개념이 같으며, 지문과 어휘 수준의 난도가 올라갈 뿐입니다. 따라서 이 책은 초등 독해의 첫 시작점을 정확히 내딛어 궁극적으로 수능까지 도달할 수 있도록 구성하였습니다.

예를 들어, 수능에 자주 출제되는 '중심 화제 파악'이라는 독해 원리를 살펴볼까요?

우리 책에서는 학년별로 해당 독해 원리를 차근차근 심화하며 궁극적으로는 수능까지 개념이 이어지도록 목차를 설계하였습니다.

학년	주	내용		
1학년	6주	글에 어울리는 제목을 붙여요		
2학년	6주	글의 중심 생각을 찾아요		
3학년	4주	중심 문장을 찾아요	→	**수능**
4학년	8주	글의 주제를 파악해요		중심 화제 파악
5학년	1주	글쓴이가 말하고자 하는 생각을 파악해요		
6학년	5주	글쓴이의 관점이나 의도를 파악해요		

독해 공부는 속도가 아니라 방향이 중요합니다.

학교 시험을 잘 보고, **수능까지 연결되는 진짜 독해 공부**를 시작해 보세요.

디딤돌 독해력으로 독해 실력을 차근차근 높여요!

이 책은 초등학생이 학습 발달 단계에 맞춰 무리 없이 독해를 공부할 수 있도록,

초등 국어 교과서 성취기준을 근거로 독해 원리를 설정하였습니다.

1~2학년은 6개, 3~6학년은 8개의 독해 목표를 선별한 후, 독해 원리를 충분히 체화할 수 있도록

1주 5day 학습으로 구성하였습니다.

글의 종류는 문학과 비문학을 고루 싣고, 학년이 높아질수록 비문학 비중을 높여

까다로운 지문에 대비할 수 있도록 하였습니다.

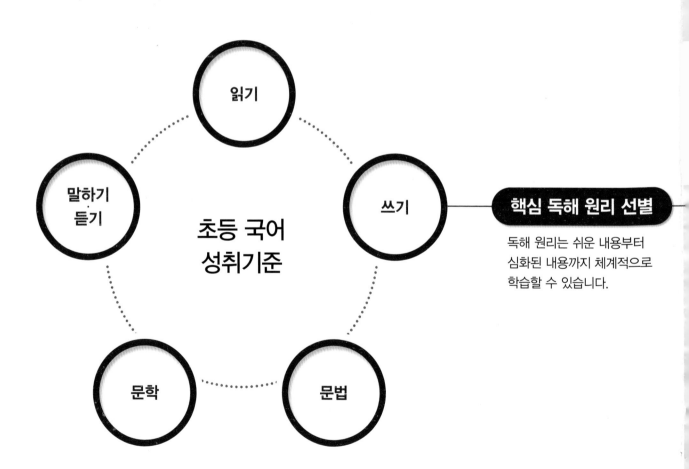

읽기

말하기
듣기

초등 국어
성취기준

쓰기

문학

문법

핵심 독해 원리 선별

독해 원리는 쉬운 내용부터
심화된 내용까지 체계적으로
학습할 수 있습니다.

4

수능까지 연결되는
초등

디딤돌 독해력

디딤돌

무엇을 공부할까요?

교과서에서는 이런 것을 배워요! (초등 3, 4학년군 성취기준)	수능에는 이렇게 나와요!
• 읽는 이를 고려하며 자신의 마음을 표현하는 글을 쓴다. • 인물, 사건, 배경에 주목하며 작품을 이해한다.	장면이나 구절에 나타난 인물의 마음을 파악하는 문제가 나와요.
• 인물, 사건, 배경에 주목하며 작품을 이해한다.	인물, 사건, 배경과 관련하여 소설의 구성 요소를 잘 이해하는 문제가 나와요.
• 이야기의 흐름을 파악하여 이어질 내용을 상상하고 표현한다.	글의 흐름을 바탕으로 이어질 내용을 알맞게 짐작하는 문제가 나와요.
• 글을 읽고 사실과 의견을 구별한다.	글을 읽고 알 수 있는 사실로 적절한 것과 적절하지 않은 것을 구분하는 문제가 나와요.
• 문단과 글의 중심 생각을 파악한다. • 회의에서 의견을 적극적으로 교환한다.	주장과 근거를 각각 적절히 이해하는 문제가 나와요.
• 글을 읽고 사실과 의견을 구별한다. • 회의에서 의견을 적극적으로 교환한다.	자료를 바탕으로 의견이 적절한지 비판적으로 평가하는 문제가 나와요.
• 글의 유형을 고려하여 대강의 내용을 간추린다. • 내용을 요약하며 듣는다.	조건에 맞게 글의 내용을 잘 간추리는 문제가 나와요.
• 문단과 글의 중심 생각을 파악한다.	글의 중심 생각, 작품의 주제를 파악하는 문제가 나와요.

어떻게 공부할까요?

1 독해 목표 확인
목표를 알고 산을 오르자

**한 주에 하나씩,
딱 뽑은 핵심 독해 원리 8개**

무작정 읽기는 노노~ 초등 성취기준에서 잘 뽑은 독해 원리를 한 주에 하나씩 배우니 부담 없이 효율적으로 공부할 수 있어요.

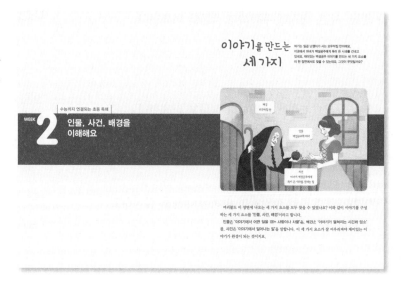

2 어휘 미리보기
어휘를 잡으면 독해가 쉬워진다

**스토리로 이해하면
기억에 오래~ 남는다**

어휘 공부 따로, 독해 공부 따로 하면 머릿속에 잘 안 들어오지요? 오늘 공부할 글에 나오는 단어를 스토리로 이해하고, 빈칸에 직접 써 보면 단어의 뜻을 오래 기억할 수 있어요.

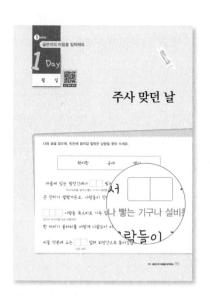

3 지문 읽기 & 문제 풀기
목표 달성을 위한 집중 훈련!

기본기와 원리
두 마리 토끼를 잡아라

글의 내용을 이해하는 것은 기본, 원리를 적
용해서 꼼꼼하고 정확하게 읽어요.

 번호 위에 달린 불끈 쥔 주먹은 문제 속 개념
을 꽉 잡을 수 있도록 도와 줍니다!

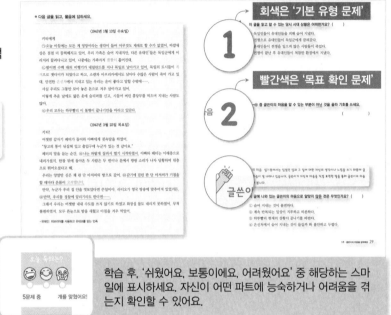

회색은 '기본 유형 문제'

빨간색은 '목표 확인 문제'

학습 후, '쉬웠어요, 보통이에요, 어려웠어요' 중 해당하는 스마
일에 표시하세요. 자신이 어떤 파트에 능숙하거나 어려움을 겪
는지 확인할 수 있어요.

4 학습 마무리
정리한 개념을 수능까지 연결한다

수능을 향한 공부 방향 확인

학습 효율을 높이는 복습은 필수! 공부한 내용을 한눈에 알 수 있도록 표로 정리
했어요. 수능(기출)까지 연결되는 내용을 살펴보며 공부 방향을 잘 잡고 있음을
확인해요.

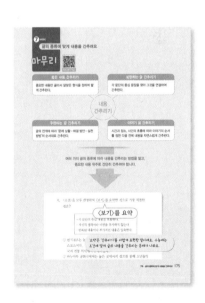

 디딤돌 독해력을 어떻게 공부해야 할지 궁금하다면? **QR 코드로 검색해 보세요.**
선생님의 강의 동영상을 보면서 주차별 독해 원리를 익히고 대표지문으로 실전 독해 훈련을 합니다.

학습 계획표

WEEK **1**

글쓴이의
마음을 짐작해요

좋아하는 마음 다 알아!

학교에서 돌아온 준수가 엄마와 대화를 나누고 있어요.
"민지가 오늘 준비물을 놓고 와서 제가 빌려주었어요.
민지가 환하게 웃으며 고맙다고 하는데 저도 모르게 얼굴이
빨개졌어요. 민지는 웃는 모습이 정말 예쁜 것 같아요."

우리 준수가
민지를 좋아하는구나.

　엄마에게 자신의 마음을 들킨 준수가 부끄러워하네요. 엄마는 어떻게 준수의 마음을 아셨을까요? 바로 준수의 말과 행동, 생각을 통해 민지에 대한 준수의 마음을 짐작하신 거랍니다.

　이처럼 글에서도 **글쓴이(말하는 이)의 말과 행동, 생각** 등을 잘 살펴보면 **글쓴이의 마음을 짐작**해 볼 수 있어요. 글쓴이의 마음이 잘 드러나는 글의 종류로는 일기, 편지, 수필, 시 등이 있답니다.

　자, 그렇다면 다양한 종류의 글을 읽고 글쓴이의 마음을 알아보러 함께 가 볼까요?

주사 맞던 날

다음 글을 읽으며, 빈칸에 들어갈 알맞은 낱말을 찾아 쓰세요.

왁자한	금세	방아

마을에 있는 방앗간에서 [   ] 찧는 소리가 계속 들려왔어요. 마을에서

곡식 따위를 찧거나 빻는 기구나 설비를 통틀어 이르는 말

큰 잔치가 열렸거든요. 사람들이 잔치를 즐기려고 밖으로 모여들어 마을은

[   ] 사람들 목소리로 가득 찼어요. 그때 마을 한구석에서 커다란 소

정신이 어지러울 만큼 떠들썩한

한 마리가 울타리를 어떻게 나왔는지 이리저리 날뛰고 있었어요. 마을 아저

씨들 덕분에 소는 [   ] 잡혀 외양간으로 돌아갔답니다.

지금 바로

주사 맞던 날

예방 주사 놓으려고
의사 선생님이 들어오시자

왁자한 교실 안이
금세 꽁꽁 얼어붙고

차례를
기다리는 가슴이
콩닥콩닥 방아 찧는다.

뾰족한 바늘 끝이
반짝하고 빛날 때면

다른 아이 비명 소리에
내 팔뚝이 더 아프고

주사를
맞기도 전에
유리창에 내 눈물이…….

1 이 시에서 '나'는 어떤 상황에 있나요? (   )

① 병원에 가서 진찰을 받고 있다.

② 신체 검사를 하려고 기다리고 있다.

③ 몸이 아파 학교 보건실에 누워 있다.

④ 예방 주사를 맞을 차례를 기다리고 있다.

2 의사 선생님이 들어오시기 전과 후의 교실 분위기는 어떻게 변하였는지 찾아 각각 ○표 하세요.

❶ 전

| 지루함 | 조용함 | 시끄러움 |

❷ 후

| 슬픔 | 즐거움 | 긴장됨 |

글쓴이의 마음을 알 수 있는 부분 글쓴이의 마음은 글에 나타난 글쓴이의 말이나 행동, 생각 등을 통해 짐작할 수 있습니다. 주사를 맞으려고 기다리면서 '나'가 어떤 생각을 하는지, 어떤 표정을 짓거나 행동을 했는지 찾아봅니다.

글쓴이의 마음
짐작하기

3 이 시에서 '나'의 마음을 짐작할 수 있는 부분이 <u>아닌</u> 것에 ×표 하세요.

❶ 1연

(   )

❷ 3연

(   )

❸ 6연

(   )

글쓴이의 마음
짐작하기

4 **이 시에 나타난 '나'의 마음을 짐작한 것으로 알맞은 것은 무엇일까요? (   )**

① 아픈 곳이 얼른 나았으면 좋겠다.

② 주사를 맞을 일이 걱정되고 무섭다.

③ 친구들보다 먼저 주사를 맞고 싶다.

④ 선생님께 혼날까 봐 겁이 나고 두렵다.

글쓴이의 마음
짐작하기

5 **이 시를 읽고 '나'와 비슷한 마음이 들었던 경험을 말한 친구의 이름을 쓰세요.**

> **혜리**: 동생이 병원에 입원한 모습을 보고 가슴 아팠던 적이 있어.
>
> **유나**: 치과에 가서 진찰을 받기 전에 아플까 봐 두려워한 적이 있어.
>
> **창연**: 나 때문에 친구가 학교 운동장에서 놀다가 다쳐서 당황한 적이 있어.
>
> **이준**: 신체검사를 하려고 줄을 설 때 새치기를 하는 친구가 얄미웠던 적이 있어.

(   )

오늘 독해는?

5문제 중   개를 맞혔어요!

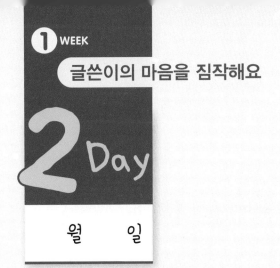

사랑하는 딸에게

다음 글을 읽으며, 빈칸에 들어갈 알맞은 낱말을 찾아 쓰세요.

| 낯설기만 | 수출 | 또래 |

세현이는 미국으로 이민을 오게 되었어요. 아버지께서 다니시는 회사에서

미국에 [   ] 하는 일의 책임자로 아버지를 보내셨거든요. 세현이는 처음
국내의 상품이나 기술을 외국으로 팔아 내보냄.

온 미국이 [   ] 하고 한국에 있는 [   ] 친구들이 벌써 그리워
전에 본 기억이 없어 익숙하지 아니하기만   나이나 수준이 서로 비슷한 무리

졌어요. 세현이는 그래도 마음을 다잡고 이곳에서 잘 적응해야겠다고 다짐했

어요.

● 다음 글을 읽고, 물음에 답하세요.

사랑하는 딸에게

주현아, 잘 있었니?

할머니 건강이 좋아지셨다니 다행이구나. 어머니도 편안하시고, 동생 주영이도 열심히 공부하고 있겠지?

이곳에 온 지도 벌써 일 년이 다 되었구나. 낯설기만 하던 이곳에서 지금은 큰 불편 없이 잘 지내고 있단다. 어제는 아버지가 일하는 이곳 회사에서 만든 제품을 유럽 지역에 수출하였다. 얼마나 기쁜지 모르겠다.

이곳에 사는 네 또래의 아이들을 보면 너의 환한 얼굴이 떠오른단다. 피아노 연습은 여전히 열심히 하고 있겠지? 세계적으로 유명한 피아니스트가 되고 싶어 하던 꿈을 이루어 세계인과 어깨를 겨루는 자랑스러운 네 모습을 그려 보기도 한단다. 요즘에는 너의 그 꿈을 어떻게 가꾸어 가고 있는지 말해 줄 수 있겠니? 얼굴을 보고 직접 듣지는 못하더라도 편지로나마 너의 목소리를 떠올리며 듣고 싶구나.

사랑하는 주현아!

마지막으로 전할 소식이 있단다. 아버지가 다음 달에 이곳을 떠나, 우리 가족이 사는 한국에서 다시 일하게 되었단다. 할머니와 어머니께도 말씀 전해 드려라.

네 얼굴을 생각하니 내 마음이 벌써 그곳에 있는 것 같구나.

조만간 만날 날을 기다리며 오늘은 이만 쓰마. 안녕.

20○○년 ○○월 ○○일

뉴욕에서 주현이를 사랑하는 아버지가

1 누가 누구에게 쓰는 편지글인지 바르게 짝 지은 것은 무엇인가요? (   )

	누가	누구에게
①	주현이가	주영이에게
②	주현이 아버지께서	주영이에게
③	주현이 아버지께서	주현이에게
④	주현이 어머니께서	주현이에게

2 편지글의 내용으로 보아 글쓴이는 어떤 상황에 있는지 골라 ○표 하세요.

❶ 회사 일 때문에 현재 뉴욕에 있다.   (   )

❷ 몸이 아파서 가족과 떨어져 지내고 있다.   (   )

❸ 유명한 피아니스트가 되어 연주회를 하고 있다.   (   )

글쓴이의 마음을 직접 표현한 부분 마음을 나타내는 말을 써서 글쓴이의 마음을 직접 표현할 수 있습니다. 이 편지글에서는 '얼마나 기쁜지 모르겠다.'와 같은 말을 써서 기쁜 마음을 드러내고 있습니다.

글쓴이의 마음
짐작하기

3 글쓴이에게 생긴 기쁜 일은 무엇인지 골라 기호를 쓰세요.

> ㉠ 가족들이 글쓴이를 보러 찾아온 일
> ㉡ 자신의 꿈대로 세계적으로 유명한 피아니스트가 된 일
> ㉢ 일하는 회사에서 만든 제품을 유럽 지역에 수출하게 된 일

(   )

4 글쓴이가 다른 가족에게 전하라고 한 내용은 무엇인가요? (   )

① 할머니의 건강이 매우 좋아지셨다는 것

② 이곳에 온 지 벌써 일 년이 다 되었다는 것

③ 다음 달에 이곳을 떠나 한국에서 다시 일하게 되었다는 것

④ 낯설기만 한 이곳에서 지금은 큰 불편 없이 잘 지내고 있다는 것

편지글에서 전하는 마음 편지글에서 전하고 있는 내용과 그에 대한 생각이나 느낌을 쓴 부분을 통해 편지를 쓴 글쓴이가 전하고자 하는 마음이 무엇인지 짐작할 수 있습니다.

글쓴이의 마음
짐작하기

5 이 편지글을 읽고 알 수 있는 글쓴이의 마음은 무엇인가요? (   )

① 제자를 생각하는 마음

② 가족을 사랑하는 마음

③ 친구를 그리워하는 마음

④ 자신의 행동을 후회하는 마음

오늘 독해는?

5문제 중   개를 맞혔어요!

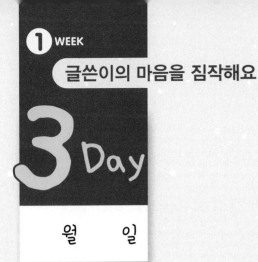

저 하늘에도 슬픔이

다음 글을 읽으며, 빈칸에 들어갈 알맞은 낱말을 찾아 쓰세요.

움집	속히	소복이

애진이는 민속촌에 가서 옛날 사람들이 살던 집을 보았어요. ☐☐. 너와

움을 파고 지은 집

집. 초가집. 기와집 등 다양한 모습의 집들이 신기했어요. 어제 내린 눈이 지

붕 위에 ☐☐☐ 쌓여서 그런지 더 분위기 있게 느껴졌어요. 그때 선생님

쌓이거나 담긴 물건이 볼록하게 많이

께서 학생들에게 ☐☐ 모임 장소로 오라고 안내하시는 말씀이 들렸어요.

꽤 빠르게

방세 없는 움집에서

6월 4일 화요일 흐림

남산동에서 앞산 밑 지금의 움집으로 이사 온 지가 벌써 한 달이 지났습니다. 돈이 없어 방세를 내지 못해 이곳으로 쫓겨 왔는데 이 움집은 방세가 없으니 돈은 걱정할 필요가 없습니다.

나는 누워서 가만히 생각해 봅니다. 우리가 이렇게 고생을 하는 것은 어머니가 집을 나가 버렸기 때문입니다.

나는 남산동에서 쫓겨난 일을 생각하면 아버지가 자꾸만 미워지고 어머니가 얼마나 원망스러운지 모릅니다. 지금 우리 식구가 살고 있는 모습은 짐승들이 살고 있는 것과 꼭 같습니다. 그러나 나는 어머니가 하루 속히 돌아와 주셨으면 하고 얼마나 가슴을 태우는지 모릅니다.

저 하늘에도 슬픔이

12월 20일 금요일 맑음

하늘을 쳐다보니까 정말로 맑았습니다. 아무리 구름을 찾아보려고 해도 구름이 보이지 않습니다. 우리 식구도 저 하늘처럼 말끔하면 얼마나 좋을까? 저 하늘에도 슬픔이 있을까요? 순나는 지금 어디 있을까? 어디 가다 죽어도 하늘 밑이겠죠?

순나야, 나는 기쁜 일이 있어도 순나 네 생각만 하면 슬픔이 소복이 가슴에 모여 눈물이 난다. 순나야, 살아 있으면 집으로 돌아와 같이 살자. 순나야, 너는 왜 집에 안 들어오느냐. 나는 네 마음을 안다. 왜 집에 안 들어오는지 알지. 너는 돈을 벌어 성공해서 들어오려고 하는 거지?

㉮『순나야, 나는 오늘 껌 장사를 하러 나갔다가 대구 백화점 앞에서 어떤 아주머니가 아이들 셋을 데리고 백화점에서 나오는 것을 보니 정말 행복해 보이더라. 모두 옷도 잘 입었고 신발도 좋은 것을 신었더구나. 나는 걸어가다 발걸음을 멈추고 한참 동안 바라보았어. 나도 어머니가 있고 동생이 있는데 왜 이렇게 고생만 하고 있을까 하고 생각하니 껌 장사도 하기 싫구나.』

순나야, 우리도 잘살 날이 있지 않겠니? 굶더라도 서로 헤어지지 말고 한 집에서 같이 살자, 순나야. 살아 있으면 어서 집으로 돌아오렴.

1 글쓴이가 처한 상황으로 알맞지 <u>않은</u> 것은 무엇인가요? (   )

① 어머니가 집을 나가 버렸다.

② 백화점에서 일을 하고 있다.

③ 동생 순나가 집에 들어오지 않고 있다.

④ 살던 곳에서 쫓겨나 움집으로 이사를 왔다.

글쓴이의 마음을 표현한 부분 이 글은 일기문으로 글쓴이의 마음을 직접 표현한 부분을 많이 찾을 수 있습니다. 글쓴이가 처한 상황에서 '밉다, 원망스럽다, 눈물이 난다'와 같이 자신의 마음을 표현한 부분을 찾아봅니다.

글쓴이의 마음
짐작하기

2 글쓴이가 가족들에게 어떤 마음을 느끼는지 <u>잘못된</u> 것을 골라 기호를 쓰세요.

> **가** 어머니께 죄송하고 꼭 부디 성공하시길 바란다.
>
> **나** 동생 순나를 생각하면 슬퍼지며 한 집에서 같이 살고 싶다.
>
> **다** 남산동에서 쫓겨난 일을 생각하면 아버지가 자꾸만 미워진다.

(   )

글쓴이의 마음
짐작하기

3 이 글에서 글쓴이의 처지와 반대되어 글쓴이의 마음을 대조적으로 잘 나타나게 한 것은 무엇인지 두 가지를 골라 ○표 하세요.

❶ 구름 한 점 없이 맑은 하늘   (   )

❷ 방세를 내지 않아도 되는 움집   (   )

❸ 백화점에서 나오던 아주머니와 세 아이들   (   )

4 ㉮『　』에 담긴 글쓴이의 마음에 대하여 바르게 말한 친구의 이름을 쓰세요.

> **소이 :** 힘든 상황에서도 희망을 잃지 않고 열심히 살아가려는 의지가 느껴져.
>
> **은재 :** 다른 사람을 보며 부러워하고 자신의 처지를 안타까워하며 슬퍼하는 마음이 느껴져.
>
> **휘서 :** 도움을 준 사람들에게 고마워하고 자신도 다른 사람을 돕고 싶어 하는 선한 마음이 느껴져.

(　　　　　)

5 글쓴이가 동생 순나에게 하고 싶은 말로 알맞지 <u>않은</u> 것은 무엇인가요? (　　)

① 순나야, 빨리 집으로 돌아와.

② 순나야, 우리 헤어지지 말고 모여 살자.

③ 순나야, 성공이란 실패를 딛고 이루어지는 거야.

④ 순나야, 언젠가는 우리도 잘사는 날이 있을 거야.

오늘 독해는?

5문제 중　　　개를 맞혔어요!

눈빛으로 깨닫게 하신 선생님

다음 글을 읽으며, 빈칸에 들어갈 알맞은 낱말을 찾아 쓰세요.

졸지	질색	은사

두 친구는 그리운 [ ]님을 찾아뵙기 위해 25년 만에 만났어요. 오랜
가르침을 받은 은혜로운 스승

세월이 지난 지금 두 친구는 대조적인 모습으로 변해 있었어요. 한 친구는

얼마 전에 [ ]에 할아버지가 되었다며 흐뭇한 웃음을 지었어요. 큰 회사
갑작스러운 판국

의 회장이 된 다른 한 친구는 아이는 [ ]이라며 고개를 저었지만 왠지
몹시 싫어하거나 꺼림.

표정은 쓸쓸해 보였어요.

● 다음 글을 읽고, 물음에 답하세요.

그날 밤 나는 도무지 잠을 이룰 수 없었습니다. 다음 날 수학 시험을 치러야 했기 때문입니다.

읍내 학교에서는 성적이 중간쯤에서 맴돌다가 진도가 늦은 산골 학교로 전학 오던 날, 일제 고사˚를 보고 나서 의외로 유일한 백 점짜리가 되자 졸지에 스타가 된 나는 지금까지 그럭저럭 스타의 자리를 지켜 왔습니다.

그런데 다음 날 수학 시험을 보게 되었던 것입니다. 수학은 참 질색이었습니다.

나는 조그맣게 종이를 오려서 자꾸 헷갈리는 문제 몇 개를 풀어 써 놓고 그 종이를 깡통 필통의 깔개 밑에 집어넣고 자리에 누웠습니다.

다음 날 수학 시험에 예상대로 그 까다로운 문제 가운데서 몇 문제가 나왔습니다.

나는 나대로 문제를 풀어서 답을 써넣었습니다. 그래도 자신이 없었습니다. 나는 선생님의 눈길을 피해 필통을 열고 깔개 밑 종이에 써 놓은 풀이를 대조해 보려고 했습니다. 그때 이마가 좀 뜨겁다는 느낌이 들어 고개를 들어 보니 선생님께서 교탁에 서서 나를 보고 웃고 계셨습니다.

나는 낯이 뜨거워 고개를 숙였습니다. 그러나 안달이 나서 잠시 후 다시 선생님의 눈길을 피해 필통 깔개를 들여다보려고 했습니다. 다시 이마가 뜨거워졌고 고개를 드니 여전히 선생님이 나를 보고 웃고 계셨습니다. 나는 그만 간이 콩알만 해지는 것 같았습니다. 선생님의 그 유령 같은 발걸음은 내 앞에서 멈췄고 잠시 나를 내려다보시더니만 내 필통을 슬그머니 집어 가시는 것이었습니다.

이젠 모든 것이 끝났습니다. 스타 자리는 물론 끝났지만 퇴학도 무섭고 — 형들은 늘 커닝한 학생들은 퇴학을 당한다고 했습니다. 부모님의 꾸지람도 겁이 났습니다.

그런데 그뿐이었습니다.

시험을 다 치르자 선생님께서는 내게 아무 말없이 필통을 돌려주셨고, 다음 날 발표된 나의 수학 시험 점수는 95점이었습니다.

내 은사이신 이○○ 선생님은 불과 초등학교 5학년인 ㉠나를 말없이 고문하심으로써 내 인생의 길목에 하나의 작은 등불을 켜 주셨던 것입니다.

˚일제 고사: 학교별로 같은 시간에 똑같은 문제를 보는 시험

1 수학 시험을 앞둔 글쓴이의 생각으로 알맞지 <u>않은</u> 것을 골라 ×표 하세요.

내가 시험을 못 보면 지금까지 내가 백 점만 맞는 줄 알았던 친구들이 실망하고 무시할 텐데……. ② (   )

수학은 내가 잘 못하는 과목인데 어떡하지? 걱정되어 잠도 오지 않네. ① (   )

오늘 밤을 새서라도 공부를 해서 반드시 내일 수학 시험을 꼭 잘 보고야 말겠어. ③ (   )

2 글쓴이가 수학 시험을 볼 때 한 행동은 무엇인가요? (   )

① 옆에 앉은 친구의 시험지를 몰래 훔쳐보았다.

② 선생님께서 보지 않으실 때 몰래 수학책을 꺼내 보았다.

③ 연필에 작게 써 놓은 숫자를 굴려 나오는 대로 답을 적었다.

④ 문제를 풀어 써 놓은 종이를 필통 깔개 밑에 두고 몰래 보았다.

3 2에서 답한 글쓴이의 행동을 보시게 된 선생님의 표정을 골라 ○표 하세요.

① (   ) ② (   ) ③ (   )

글쓴이의 마음 변화 알기 글쓴이가 처한 상황에 따라 마음이 바뀌어 나타날 수 있습니다. 글쓴이가 겪은 일이 무엇인지 찾아보고 그 일에 따라 마음이 어떻게 바뀌는지 표현한 부분을 찾아봅니다.

글쓴이의 마음
짐작하기

4 이 글에 나타난 글쓴이의 마음이 어떻게 변하였는지 빈칸에 들어갈 알맞은 말을 보기 에서 골라 쓰세요.

보기

뿌듯하였다   기대되었다   두려워졌다

선생님께 '나'의 행동을 들키게 되어 부끄러웠다.

↓

스타 자리도 끝나고 퇴학까지 당하게 될까 봐 [ ][ ][ ][ ].

↓

선생님께서 아무 말없이 필통을 돌려주셔서 '나' 스스로 반성하였다.

5 ㉠이 뜻하는 내용으로 알맞은 것은 무엇인가요? (   )

① 다른 사람을 통해 '나'의 잘못을 깨닫게 하셨다.

② '나'의 잘못된 행동에 대한 책임을 대신 지고 고통받으셨다.

③ 잘못을 직접 일러 주시고 올바른 길이 무엇인지 정확히 알려 주셨다.

④ '나' 스스로 힘겹게 돌아보고 반성하도록 해서 올바른 길이 무엇인지 가르쳐 주셨다.

오늘 독해는?

5문제 중   개를 맞혔어요!

안네의 일기

다음 글을 읽으며, 빈칸에 들어갈 알맞은 낱말을 찾아 쓰세요.

| 뿔뿔이 | 폭격 | 은신처 | 오싹했단다 |

할머니께서는 옛날에 겪으셨던 일을 나지막한 목소리로 말씀해 주셨어요.

"우리 가족은 마을로 쏟아지는 ☐☐을 피해 도망을 가다가 잠시 숨어 지

비행기에서 폭탄을 떨어뜨려 적의 군대나 시설물, 또는 국토를 파괴하는 일

낼 ☐☐☐를 찾았단다. 가족이 ☐☐☐ 흩어지거나 적에게 끌려가

몸을 숨기는 곳   제각기 따로따로 흩어지는 모양

는 상상만 해도 온몸이 ☐☐☐☐."

몹시 무섭거나 추워서 갑자기 몸이 움츠러들거나 소름이 끼쳤단다.

나는 할머니의 말씀을 듣고 전쟁은 없어져야 한다는 생각이 들었어요.

● 다음 글을 읽고, 물음에 답하세요.

〈1943년 1월 13일 수요일〉

키티에게

㉠오늘 아침에는 모든 게 엉망이라는 생각이 들어 아무것도 제대로 할 수가 없었어. 바깥세상은 점점 더 끔찍해지고 있어. 우리 가족은 숨어 지내지만, 다른 유대인˙들은 독일군에게 이리저리 끌려다니고 있어. 나중에는 가족마저 뿔뿔이 흩어진대.

㉡밤이면 수백 대의 비행기가 네덜란드를 지나 독일로 날아가고 있어. 독일의 도시들이 폭격으로 잿더미가 되었다고 하고, 소련과 아프리카에서도 날마다 수많은 사람이 죽어 가고 있대. 안전한 은신처에서 지내고 있는 우리는 운이 좋다고 말할 수밖에…….

사실 우리도 그동안 모아 놓은 돈으로 겨우 살아가고 있어.

이렇게 추운 날에도 얇은 옷에 슬리퍼를 신고, 시들어 버린 홍당무를 먹으며 지내는 사람도 많아.

㉢우리 모두는 하루빨리 이 불행이 끝나기만을 바라고 있단다.

〈1943년 3월 25일 목요일〉

키티!

어젯밤 갑자기 페터가 들어와 아빠에게 귓속말을 하였어.

"창고의 통이 뒤집혀 있고 출입구에 누군가 있는 것 같아요."

페터의 말을 듣는 순간, ㉣나는 파랗게 질려서 떨기 시작하였어. 아빠와 페터는 아래층으로 내려가셨지. 한참 뒤에 돌아온 두 사람은 두 번이나 문에서 쾅쾅 소리가 나자 당황하여 위층으로 뛰어오셨다고 해.

우리는 양말만 신은 채 판 단 아저씨의 방으로 갔어. ㉤감기에 걸린 판 단 아저씨가 기침을 할 때마다 온몸이 오싹했단다.

만약, 누군가 우리 집 안을 엿보았다면 큰일이야. 라디오가 영국 방송에 맞추어져 있었거든. ㉥만약, 우리를 경찰에 알리기라도 한다면…….

그래서 우리는 어젯밤 내내 수도를 쓰지 않기로 하였고 화장실 물도 내리지 못하였어. 무척 불편하였지. 모두 뜬눈으로 밤을 새웠고 아침을 겨우 먹었어.

˙유대인: 히브리어를 사용하고 유대교를 믿는 민족

1 이 글을 읽고 알 수 있는 당시 시대 상황은 어떠한가요? (　　　)

① 독일인들이 유대인들을 피해 숨어 지냈다.

② 전쟁으로 유대인들이 독일군에게 끌려갔다.

③ 유대인들이 전쟁을 일으켜 많은 사람들이 죽었다.

④ 전쟁이 끝난 후 유대인들이 처참한 환경에서 지냈다.

글쓴이의 마음
짐작하기

2 ㉠~㉤ 중 글쓴이의 마음을 알 수 있는 부분이 <u>아닌</u> 것을 골라 기호를 쓰세요.

(　　　　　　)

> 🖊 **글쓴이의 마음** 일기문에는 있었던 일과 그 일에 대한 글쓴이의 생각과 느낌이 솔직하게 표현되어
> 있습니다. 글에 나타난 상황을 통해 글쓴이의 마음을 짐작해 봅니다.

글쓴이의 마음
짐작하기

3 이 글에 나와 있는 글쓴이의 마음으로 알맞지 <u>않은</u> 것은 무엇인가요? (　　　)

① 숨어 지내는 것이 불편하다.

② 계속 반복되는 일상이 지루하고 따분하다.

③ 하루빨리 현재의 상황이 끝나기를 바란다.

④ 은신처에서 숨어 지내는 것이 들킬까 봐 불안하고 두렵다.

4 ㉂ 뒷부분에 들어갈 내용을 짐작한 것으로 알맞은 것은 무엇인가요? (   )

① 우리의 힘든 생활을 알리고 도움을 받을 수 있게 될 거야.

② 끝날 것 같지 않던 이 불행도 끝나고 행복할 일만 남을 거야.

③ 우리는 결국 모두 끌려가서 다시는 함께 모일 수 없게 될 거야.

④ 우리를 경찰에 알린 사람을 찾아내어 반드시 고맙다는 말을 할 거야.

5 이 글을 읽고 생각이나 느낌을 알맞게 말하지 <u>못한</u> 친구의 이름을 쓰세요.

> 혜린: 독일군이 언제 쳐들어올지 모르는 상태에서도 일기를 쓴 안네가 정말 대단한 것 같아.
>
> 성빈: 안네가 힘들고 고통스러운 순간을 잊으려고 재미있고 신나는 상상을 해서 일기를 꾸며 쓴 게 기억에 남아.
>
> 유라: 안네는 이러한 상황에서도 일기를 썼는데 작은 일에도 쉽게 힘들어하고 포기했던 나 자신을 반성하게 됐어.

(   )

글쓴이의 마음을 짐작해요

마무리

독해 원리 학습

글쓴이의 마음 짐작하기

1 직접 표현한 부분

마음을 나타내는 말을 직접 쓴 부분을 찾아본다.

2 다른 방법으로 표현한 부분

글쓴이의 말, 행동, 표정, 생각 등을 통해 표현한 부분을 찾아본다.

3 마음을 표현하는 말 예

기쁘다. / 신난다. / 싫다. / 미워하다. / 슬프다. / 화나다. / 무섭다. / 걱정스럽다. / 놀라다.

글쓴이의 마음을 짐작하며 글을 읽으면
글쓴이의 입장에서 글의 내용을 더 잘 이해할 수 있습니다.

영채는 형식이란 소리를 듣고 문득 가슴이 덜렁함을 깨달았다. 지금까지 아무쪼록 형식을 잊어버리려 하였으나 방금 같은 기차에 형식이가 ~수, 「무정」

39. ⓐ에 나타난 인물의 심리를 설명하는 말로 가장 적절한 것은?

① 좌불안석(坐不安席)
② 간담상조(肝膽相照)
③ 전전반측(輾轉反側)
④ 침소봉대(針小棒大)
⑤ 절치부심(切齒腐心)

'심리'는 '마음'을 뜻하는 말이에요. 수능에는 특정 장면이나 구절에 나타난 인물의 마음을 파악하는 문제가 나와요.

WEEK **2**

인물, 사건, 배경을 이해해요

이야기를 만드는 세 가지

여기는 일곱 난쟁이가 사는 오두막집 안이에요. 이곳에서 마녀가 백설공주에게 독이 든 사과를 건네고 있네요. 재미있는 백설공주 이야기를 만드는 세 가지 요소를 이 한 장면에서도 찾을 수 있는데요, 그것이 무엇일까요?

배경
오두막집 안

인물
백설공주와 마녀

사건
마녀가 백설공주에게
독이 든 사과를 건네는 일

　여러분도 이 장면에 나오는 세 가지 요소를 모두 찾을 수 있었나요? 이와 같이 이야기를 구성하는 세 가지 요소를 '인물, 사건, 배경'이라고 합니다.

　인물은 '이야기에서 어떤 일을 겪는 사람이나 사물'을, 배경은 '이야기가 펼쳐지는 시간과 장소'를, 사건은 '이야기에서 일어나는 일'을 말합니다. 이 세 가지 요소가 잘 어우러져야 재미있는 이야기가 완성이 되는 것이지요.

씨름 장사 동이

다음 글을 읽으며, 빈칸에 들어갈 알맞은 낱말을 찾아 쓰세요.

| 장사 | 건장한 | 몸집 | 탄성 |

마을에 흐르는 개울 위로 돌다리를 만들기로 했어요. 마을에서 [ ][ ]

몸이 튼튼하고 기운이 센

청년들이 다리로 쓸 커다란 돌을 주워 왔어요. 청년들은 [ ]이 크고 힘

몸의 부피

도 세서 그 어떤 [ ]와 겨루어도 이길 것 같았어요. 개울 위로 커다란

몸이 우람하고 힘이 아주 센 사람

돌을 두어 징검다리를 만들자 여기저기서 [ ]이 나왔어요. 마을 사람들

몹시 감탄하는 소리

은 청년들에게 고마워하였어요.

● 다음 글을 읽고, 물음에 답하세요.

오늘은 윗마을과 아랫마을에 사는 모든 장사들이 모여 씨름하는 날이에요.

"이번에는 누가 황소를 타 갈까?"

"그야, 김 서방이지. 아마 김 서방을 당해 낼 장사는 아무도 없을걸."

징! 징소리와 함께 드디어 씨름판이 벌어졌어요.

"아니, 저 소년은 누구지?"

"홀어머니를 모시고 사는 윗마을 효자 동이야!"

경기가 시작되자마자, 몸집이 작은 동이가 상대방을 오금당기기°로 넘어뜨렸어요. 동이는 어른과 비교해 몸집은 작았지만 꾀가 많고 씨름 기술도 많이 알고 있었어요. 사람들의 눈이 토끼처럼 동그랗게 커졌지요.

"와! 소년 장사가 나왔군 그래!"

"누가 아니래! 저 덩치가 나무처럼 쓰러지다니 말이야."

동이는 그 이후에도 세 명의 건장한 장사들을 모래판에 차례로 넘어뜨렸어요. 그리고 마침내 씨름판엔 동이와 작년에 황소를 타 갔던 김 서방만이 남게 되었지요. (중략)

"으랏차차!"

김 서방이 먼저 동이를 번쩍 들어올렸어요. 동이는 김 서방의 발을 딛고 중심을 잡았지요.

"김 서방, 뭐 해? 어서 넘기라구!"

하지만 동이를 들어올려 몇 바퀴 돌던 김 서방은 그만 힘이 빠져 동이를 내려놓고 말았지요.

"소년 장사, 제법인걸. 내 들배지기°를 피하다니 말이야."

김 서방이 다시 동이를 밀어붙였어요. 동이도 지지 않고 김 서방의 가슴으로 파고들었지요.

"이야압!"

동이는 김 서방이 힘으로 밀어붙이는 틈을 이용해 정면뒤집기°로 김 서방을 모래밭에 거꾸러뜨렸어요.

"저럴 수가! 저 큰 덩치를 뒤로 넘겨 버리다니!"

사람들은 입을 다물지 못하고 탄성만 지를 뿐이었지요.

"와아! 윗마을에 소년 장사가 탄생했다! 소년 장사 만세!"

- 오금당기기: 상대방의 오른쪽 다리가 자기 쪽으로 많이 나와 있다고 생각될 때 거는 기술
- 들배지기: 상대방의 허리와 다리에 묶인 샅바를 동시에 번쩍 들어 올린 후 자기 몸을 슬쩍 돌려서 넘기는 기술
- 정면뒤집기: 자세를 낮추었다가 일어나면서 상대방을 자기 뒤로 넘기는 기술

인물, 사건, 배경
이해하기

1 다음 중 이 글에서 일이 일어난 때를 알 수 있는 부분을 골라 기호를 쓰세요.

> 가 사람들은 입을 다물지 못하고 탄성만 지를 뿐이었지요.
> 나 씨름판엔 동이와 작년에 황소를 타 갔던 김 서방만이 남게 되었지요.
> 다 오늘은 윗마을과 아랫마을에 사는 모든 장사들이 모여 씨름하는 날이에요.

(   )

인물, 사건, 배경
이해하기

2 이 글에 나오는 중심 인물은 누구누구인지 빈칸에 알맞은 말을 쓰세요.

☐☐☐ 과 ☐☐

3 이 글에 나오는 동이에 대한 설명으로 알맞지 <u>않은</u> 것은 무엇인가요? (   )

① 아랫마을에서 왔다.
② 어른과 비교해 몸집이 작다.
③ 홀어머니를 모시고 사는 효자이다.
④ 꾀가 많고 씨름 기술도 많이 알고 있다.

인물, 사건, 배경
이해하기

4 **이 글에서 일어난 사건을 간단히 정리하여 바르게 말한 친구의 이름을 쓰세요.**

> **재준:** 동이가 작년에 씨름 장사였던 김 서방과 씨름을 하다가 크게 다치고 말았어.
>
> **유빈:** 몸집이 작은 동이가 작년에 씨름 장사였던 김 서방을 이기고 소년 장사가 되었어.
>
> **민영:** 동이가 어머니를 위해 씨름에서 이겨 황소를 가져가려고 속임수를 써서 김 서방을 이겼어.

(   )

5 **이 글에서 느껴지는 분위기로 알맞은 것은 무엇인가요? (**   **)**

① 신나고 흥겹다.

② 음산하고 무섭다.

③ 조용하고 차분하다.

④ 불쌍하고 안타깝다.

오늘 독해는?

5문제 중   개를 맞혔어요!

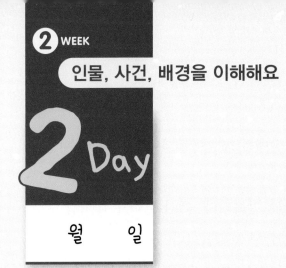

2 Day

월   일

나비야, 날아라

다음 글을 읽으며, 빈칸에 들어갈 알맞은 낱말을 찾아 쓰세요.

> 활기찬   송골송골   사육   성금

거리에 서서 모금을 하는 아이들의 이마 위로 ⬜⬜⬜⬜ 땀방울이 맺

<small>땀이나 소름, 물방울 따위가 살갗이나 표면에 잘게 많이 돋아나 있는 모양</small>

혔어요. 비록 날씨는 더웠지만 아이들의 ⬜⬜ 목소리와 표정에 지나가

<small>힘이 넘치고 생기가 가득한</small>

는 사람들도 더위를 잠시 잊었어요. 아이들은 나쁜 환경에서 ⬜⬜ 되거나

<small>어린 가축이나 짐승이 자라도록 먹이어 기름.</small>

버려진 동물들을 위한 모금을 하는 것이었어요. 많은 사람들이 아이들과 뜻을

함께하며 ⬜⬜ 을 보태었어요.

<small>정성으로 내는 돈</small>

오랜만에 볕이 따스하였습니다. 모처럼 우리 반은 운동장에서 공놀이를 하였습니다. 아이들은 넓은 운동장을 신나게 뛰어다녔습니다.

나는 아이들의 활기찬 모습을 보다가 흘끗 3층을 올려다보았습니다. 현아는 여느 때처럼 교실 창가에서 우리를 내려다보고 있었습니다. 현아는 퍽 쓸쓸해 보였습니다.

현아는 심장이 약한 아이였습니다. 조금만 뛰어도 숨이 차서 몹시 괴로워하는 아이였습니다. 현아를 생각하니 나는 마음이 답답해졌습니다. 커다란 플라타너스 잎이 가슴을 꽉 덮고 있는 것처럼 숨이 막혔습니다.

"선생님, 뭐 하세요? 우리 편이 이겼어요."

멍하니 서 있는 나를 아이들이 불렀습니다. 아이들의 이마에는 송골송골 땀방울이 맺혀 있었습니다.

"응? 으응. 그럼 한 판 더 해 보렴."

다시 교실 창문을 올려다보니 현아가 보이지 않았습니다.

'웬일일까? 공부라도 하는 걸까?'

나는 아이들을 운동장에 두고 살며시 교실로 들어갔습니다. 현아는 사육 상자 속을 들여다보고 있었습니다. 아침까지만 해도 사육 상자 속에는 번데기 다섯 마리가 있었습니다. 그런데 가까이 가 보니 어느새 두 마리는 배추흰나비가 되어 있었습니다. (중략)

"선생님, 저도 나비처럼 훨훨 날아 보았으면 좋겠어요."

현아가 작은 목소리로 말하였습니다. 현아의 눈은 꿈꾸듯 젖어 있었습니다.

"그래, 넌 꼭 날 수 있을 거야. 조금만, 조금만 기다리렴." (중략)

우리 반 아이들은 현아를 돕는 방법을 생각하고 실천에 옮기기로 하였습니다. 전교생과 선생님들이 성금을 모으고, 모금함을 들고 거리로 나가 도움을 청하기도 하였습니다. 많은 사람들의 도움으로 현아의 수술비가 마련되었습니다.

드디어 현아의 수술 날짜가 잡혔습니다.

장마가 끝나고 오랜만에 맑게 갠 날이었습니다. 하얀 구급차가 운동장에 도착하였습니다.

"너희들 모두 안녕."

현아는 눈물이 그렁그렁하게 괸 눈으로 인사하였습니다.

"안녕이란 말은 이럴 때 어울리지 않아. 다시 만날 테니까."

누군가가 말하였습니다.

"맞아. 이제 현아는 우리처럼 뛰어다닐 수 있게 될 거야."

아이들은 모두 웃으며 현아에게 손을 흔들었습니다. (중략)

나는 하늘을 올려다보았습니다. 물빛처럼 파란 하늘이 보였습니다.

'현아야, 넌 지금 탈바꿈을 하고 있는 거야. 나비도 허물을 벗기 전에는 오래 참으며 고통스러워하였단다. 현아도 지금 허물을 벗고 있는 중이야. 이제 곧 아름다운 나비가 될 거야.'

눈부신 햇살 속에서 배추흰나비 한 마리가 팔랑팔랑 춤을 추고 있었습니다.

인물 이해하기 글에서 어떤 일을 겪는 사람이나 사물을 모두 인물이라고 합니다. 이 글에서 말하는 이가 누구인지를 생각해 보고, 제시된 장면에 등장하는 다른 인물을 모두 찾아봅니다.

인물, 사건, 배경
이해하기

1 이 글에 나오는 인물을 모두 찾아 ○표 하세요.

> '나'(선생님)　　현아　　반 아이들　　의사 선생님　　현아의 부모님

2 이 글의 내용으로 보아 현아가 교실에 남아 있는 까닭은 무엇인가요? (　　　)

① 선생님께 꾸중을 듣고 벌을 서야 해서
② 다른 친구들과 달리 체육복을 입지 않고 와서
③ 조금만 뛰어도 숨이 차는 심장병을 앓고 있어서
④ 교실에서 사육 상자 속에 있는 배추흰나비 번데기를 돌보아야 해서

인물, 사건, 배경
이해하기

3 이 글에서 공간적 배경을 나타내는 말로 알맞은 것을 두 가지 고르세요.

(　　　　　)

① 교실　　　　　② 구급차　　　　　③ 운동장　　　　　④ 전교생

4 이 글에 나오는 배추흰나비가 의미하는 것은 무엇일까요? (　　　)

① 현아를 응원하는 친구들
② 건강하고 자유로워진 현아
③ 늘 혼자 외롭게 지내는 현아
④ 현아의 곁에서 따뜻하게 지켜 주는 '나'

인물, 사건, 배경
이해하기

5 다음은 이 글에서 일어난 사건을 순서대로 정리한 것입니다. <u>잘못된</u> 부분의 기호를 쓰세요.

> **가** '나'는 교실에 혼자 남아 있는 현아를 생각하여 교실로 들어감.
>
> ↓
>
> **나** 사육 상자 속에 있던 번데기가 모두 배추흰나비가 되어 있었음.
>
> ↓
>
> **다** 전교생과 선생님 등 여러 사람의 성금으로 현아의 수술비가 마련됨.
>
> ↓
>
> **라** 현아의 수술 날짜가 잡혀 현아는 친구들과 인사를 나누고 떠남.

(　　　　　)

오늘 독해는?

5문제 중　　　　개를 맞혔어요!

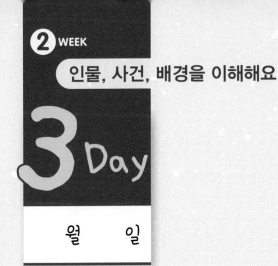

꽃잎으로 쓴 글자

다음 글을 읽으며, 빈칸에 들어갈 알맞은 낱말을 찾아 쓰세요.

| 쾌활하였다 | 흘깃흘깃 | 또랑또랑 |

"이 문제의 답을 아는 사람 있어요?" 선생님의 질문에 친구들은 서로

☐☐☐☐ 쳐다보기만 했다. 그때 재은이가 갑자기 손을 번쩍 들더니

자꾸 가볍게 흘겨보는 모양

☐☐☐☐ 한 목소리로 답을 말하였다. 얼마 전에 전학 온 재은이의 성

조금도 흐리지 않고 아주 밝고 똑똑한 모양

격은 매우 ☐☐☐☐☐. 나는 소극적이고 얌전한 나와 다른 성격인 재

명랑하고 활발하였다

은이와 더 친해지고 싶었다.

● 다음 글을 읽고, 물음에 답하세요.

아침을 먹은 승우는 누이들과 함께 솟을대문을 나섰다. ㉠새로 담임이 된 다나카 선생님은 지각하는 걸 가장 싫어한다. 아이들은 따귀를 맞기 싫어서, 또는 걸상을 들고 벌을 서거나 냄새 지독한 변소 청소를 하게 될까 봐 모두가 일찍 온다.

㉡누이들과 헤어져 교문에 들어선 승우는 운동장을 가로질러 뛰었다. 걸상에 앉아 막 책가방을 내려놓는데 조회 시간을 알리는 종이 울렸다. 하마터면 지각을 할 뻔하였다. (중략)

"너희들, 오늘부터 아주 재미있는 놀이를 하도록 해 주겠다."

뜻밖에도 선생님의 목소리는 쾌활하였다. 아이들은 웬일인가 싶어 서로 흘깃흘깃 훔쳐보았다.

㉢조회 시간의 첫마디는 으레 일본과 조선은 하나이고, 천황˚ 폐하는 우리들의 어버이시니 충성을 다해야 한다는 것이었다. 그런데 오늘은 재미있는 놀이를 한다니……. 아이들의 눈은 호기심으로 반짝이기 시작하였다. (중략)

"㉮아무리 모진 겨울일지라도 뿌리만 얼어 죽지 않으면 반드시 잎이 돋고 꽃이 핀다. 나라와 민족도 마찬가지란다. 승우야, 넌 나라와 민족의 뿌리가 무엇이라고 생각하느냐?"

"……."

"얼과 말과 글이다. 너희들은 '얼빠진 놈'이라고 욕하는 소리를 들었을 것이다. 맞는 말이다. 얼이 빠진 사람은 정신이 빠지고 없으니 온전한 사람이 아니다. 얼과 말과 글, 그것만 있으면 아무리 모진 비바람에 시달려도 언젠가는 반드시 살아나 꽃을 피울 것이다. 저 복숭아나 무처럼……. 마음에 새겨 두어라."

말씀을 마치신 아버지께서는 사랑으로 나가셨다. ㉣방 안에는 여전히 무거운 침묵이 감돌았다.

"이리 온."

어머니께서 팔을 벌리고 오라는 손짓을 하셨다. (중략)

어머니께서는 귀한 손님이 오셨을 때에만 내놓으시던 팔각 소반을 다락에서 꺼내셨다. 그리고는 꽃잎으로 그 위에다 글자를 쓰셨다.

"산." / "하늘." / "별."

또랑또랑한 목소리가 방 안을 울렸다. ㉤승우는 어머니께서 꽃잎으로 쓰신 글자를 보았다. '야마', '소라', '호시'라고 불렀을 때에는 아무렇지도 않았다. 그런데 '산'과 '하늘'과 '별'이라고 부르자, 그 말들은 두렷두렷 살아나 다가옴을 느꼈다. ㉥승우는 가슴이 울렁거렸다. 눈앞으로 환한 빛무리가 모여들었다.

그러자

꽃잎으로 쓴 산이 우뚝 솟았다.

꽃잎으로 쓴 하늘이 새파래졌다.

꽃잎으로 쓴 별은 잘강잘강 맑은 소리를 냈다.

팔각 소반 위의 꽃잎으로 쓴 글자들은 향기롭고 보드랍고 고왔다.

● 천황: 일본의 왕을 일컫는 말

공간적 배경 이해하기 이야기에서 일이 일어난 장소를 공간적 배경이라고 합니다. 인물이 이동하는 장소를 중심으로 어떤 일이 일어나는지를 찾아 전체 사건을 정리할 수 있습니다.

인물, 사건, 배경
이해하기

1 ⊙~⑩ 중 공간적 배경을 알 수 있는 부분을 두 가지 골라 기호를 쓰세요.

(   )

시대적 배경 이해하기 이야기에서 일이 일어난 사회 및 시대 상황을 시대적 배경이라고 합니다. 이 글에서 '일본과 조선, 천황 폐하'에 대한 내용이나 '나라와 민족'에 대한 아버지의 말씀을 통해 시대적 배경을 알 수 있습니다.

인물, 사건, 배경
이해하기

2 이 글의 시대적 배경에 대하여 바르게 설명한 것을 골라 기호를 쓰세요.

> ㉮ 우리나라가 일본으로부터 독립을 하여 주권을 되찾았던 때이다.
>
> ㉯ 우리나라가 일본에 의해 강제로 나라를 빼앗겼던 일제 강점기이다.
>
> ㉰ 우리나라가 남과 북으로 나뉘어 분단 국가가 되기 시작했을 때이다.

(   )

3 ㉮에 나오는 다음 말들이 뜻하는 것이 무엇인지 선으로 알맞게 이으세요.

❶ 잎과 꽃 •

❷ 모진 겨울 •

• **가** 우리나라의 독립

• **나** 일본의 앞잡이

• **다** 일제 강점기의 우리나라

4 아버지께서 승우에게 하신 말씀은 무엇인지 빈칸에 알맞은 말을 쓰세요.

나라와 민족의 뿌리는 [ ]과 [ ]과 [ ]이며, 이것만 있으면 아무리 모진 비바람에 시달려도 언젠가는 반드시 살아나 꽃을 피울 것이다.

5 승우가 ㉺과 같이 느낀 까닭은 무엇일까요? (　　　)

① 아버지께서 승우의 마음을 몰라주는 것이 서운해서
② 다나카 선생님에게 혼난 것을 생각하니 속상하고 억울해서
③ 어머니께서 꽃잎으로 우리말 글자를 쓰신 것을 보고 감동 받아서
④ 우리말보다 일본어로 쓴 글자가 더 익숙하게 느껴진 것이 화가 나서

5문제 중　　개를 맞혔어요!

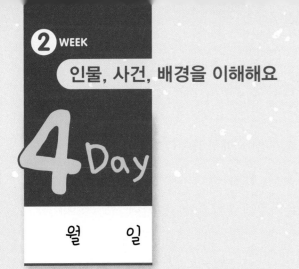

항아리의 노래

다음 글을 읽으며, 빈칸에 들어갈 알맞은 낱말을 찾아 쓰세요.

정열적	미적지근한	산산이

수진이는 조용하고 차분한 성격이에요. 새롭거나 신기한 일에도 큰 반응을 보

이지 않고 [   ] 태도를 보였어요. 그랬던 수진이가 어느 날 텔

성격이나 행동, 태도 따위가 맺고 끊는 데가 없이 흐리멍덩한

레비전에서 멋진 가수를 보고 나서 갑자기 [   ]으로 변했어요. 수진이는

정열에 불타는 또는 그런 것

가수가 되고 싶어 매일 노래와 춤 연습을 했지요. 하지만 갑작스러운 교통사고

로 수진이는 걷지 못하게 되었고 수진이의 꿈은 [   ] 깨지고 말았어요.

여지없이 깨어지거나 흩어지는 모양

● 다음 글을 읽고, 물음에 답하세요.

어느 맑은 날이었습니다. 고추장 항아리가 어깨를 으쓱거리며 말하였습니다.

"조금 있으면 순이 할머니가 고추장을 퍼 가시겠지? 순이 할머니는 고추장에 오이를 푹 찍어 먹는 걸 좋아하시니까 말이야. 뭐든지 고추장처럼 화끈한 게 좋아. 얼마나 정열적이야! 미적지근한 것은 딱 질색이라고!"

"또 흥분하는군. 너는 그게 문제야. 너무 성격이 매워서 남을 이해하거나 용서할 줄 모르지. 생각해 봐. 중요한 것으로 하자면 소금을 담고 있는 나지. 소금이 없으면 사람은 살 수 없다고. 그래서 나는 이 소금을 아끼고 지켜야 해."

소금 항아리가 팔짱을 끼며 말하였습니다. (중략)

"하기는 저기 있는 금 간 항아리를 좀 봐. 언제나 비어 있잖아? 아무것도 담을 수 없으니까 누가 관심이나 가져 주겠어?"

소금 항아리는 고추장 항아리의 말을 듣고 금 간 항아리를 쳐다보았습니다.

"누가 아니래. 금 간 항아리와 같이 산다는 게 창피해."

"나도 그래. 여보게, 날씨도 좋은데 우리 함께 노래나 부르자고!"

순이네 집 옥상에는 노랫소리가 널리 퍼져 나갔습니다.

하지만, 노랫소리가 울려 퍼질수록 금 간 항아리는 슬퍼졌습니다.

'하루하루 이렇게 산다는 것은 괴로운 일이야. 아무것도 담지 못하고 쓸모없는 몸으로 살아갈 바에야 차라리 벼락이라도 맞아 산산이 부서지는 게 나아!' (중략)

바람은 금 간 항아리 가슴에 안겼습니다.

"아! 참 편하네요. 당신은 편안하고 따뜻하군요."

"하지만, 나는 금 간 쓸모없는 항아리인걸요."

"당신이나 저 항아리들이나 하나도 다를 게 없어요. 똑같은 그릇이지만 무엇을 담느냐에 따라 달라질 뿐이지요. 고추장을 담으면 고추장 항아리, 소금을 담으면 소금 항아리가 되는 거죠."

"그럼 나는 바람 항아리가 되겠네요?"

"어디 바람뿐이겠어요? 달빛을 담으면 달빛 항아리, 햇살을 담으면 햇살 항아리. 당신은 무엇이든 될 수 있어요. 당신은 아무것도 담지 않고 비어 있기 때문에 앞으로도 많은 것을 담을 수 있잖아요?" / "정말인가요?"

"그렇고말고요. 비어 있다는 것은 앞으로 무엇이든지 담을 수 있는 기회가 있다는 거예요. 희망이 있는 거지요."

인물, 사건, 배경
이해하기

1 **이 글에서 다음과 같은 성격을 지닌 인물을 두 가지 고르세요. (   )**

> 잘난 척을 하고 남을 잘 배려하지 않는다.

① 바람   ② 소금 항아리   ③ 금 간 항아리   ④ 고추장 항아리

2 **금 간 항아리는 자기 자신에 대해 어떤 생각을 가지고 있었는지 골라 기호를 쓰세요.**

> **가** 아무것도 담지 못하고 쓸모없는 몸으로 살아갈 바에야 차라리 산산이 부서지는 게 낫다.
>
> **나** 비록 아무것도 담지 못하지만 겉에서 보았을 때는 모양이 예쁘니까 충분히 자신감을 가져도 된다.

(   )

✊ **사건 이해하기** 이야기 속에서 인물들이 어떤 사건을 겪느냐에 따라 인물의 성격이나 생각, 처지가 바뀔 수 있습니다.

인물, 사건, 배경
이해하기

3 **이 글에서 금 간 항아리의 생각이 바뀌게 된 사건은 무엇인가요? (   )**

① 금 간 항아리가 벼락을 맞았다.
② 바람이 금 간 항아리에 들어왔다.
③ 금 간 항아리에 달빛이 담겨졌다.
④ 금 간 항아리에 햇살이 담겨졌다.

4 바람이 금 간 항아리에게 한 말의 내용을 <u>잘못</u> 이해한 친구의 이름을 쓰세요.

> **재연:** 금 간 항아리나 다른 항아리들이나 다를 게 없이 똑같은 그릇이지만 무엇을 담느냐에 따라 달라질 뿐이라고 했어.
>
> **유빈:** 금 간 항아리는 아무것도 담지 않고 비어 있기 때문에 앞으로 무엇이든지 담을 수 있는 기회, 즉 희망이 있는 것이야.
>
> **민영:** 고추장이나 소금을 담은 항아리가 달빛이나 햇살을 담을 수 있는 금 간 항아리보다 더 훌륭하고 좋은 항아리라고 했어.

(   )

5 바람을 만난 후 금 간 항아리의 생각이 어떻게 바뀌게 되었을지 짐작한 것으로 알맞은 것을 골라 〇표 하세요.

① '내가 왜 그동안 금이 간 모습만 탓하고 쓸모없다고만 생각했을까? 나도 이제 무엇이든 담을 수 있는 쓸모 있는 항아리라고 생각하고 가슴을 열자.' (   )

② '역시 다른 항아리에는 된장, 고추장, 간장과 같은 것들이 가득 담길 수 있는데, 나는 누군가에게 가슴을 열어 주기에는 부족하기만 한 것 같아.' (   )

오늘 독해는?

5문제 중   개를 맞혔어요!

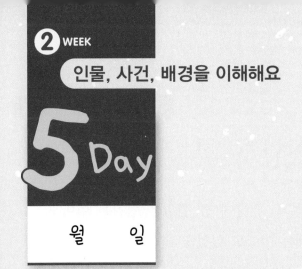

5Day

월   일

사랑의 학교

다음 글을 읽으며, 빈칸에 들어갈 알맞은 낱말을 찾아 쓰세요.

병석   업신여기는   명중   비겁한

삼촌은 오랜 □□ 에서 일어나 퇴원을 했어요. 경찰이었던 삼촌은 도망

병자가 앓아누워 있는 자리

가던 도둑의 차 바퀴를 총으로 □□ 시켰지만. 도둑과 몸싸움 끝에 심하게

화살이나 총알 따위가 겨냥한 곳에 바로 맞음.

다쳤거든요. 도둑은 자신을 □□□□□ 부유한 사람들을 골탕 먹이려

교만한 마음에서 남을 낮추어 보거나 하찮게 여기는

고 한 짓이라고 했지만 삼촌은 그건 □□□ 변명일 뿐이라고 말했어요.

비열하고 겁이 많은

다행히 삼촌은 다시 건강을 되찾았어요.

● 다음 글을 읽고, 물음에 답하세요.

나는 오늘 조금 늦게 학교에 도착했습니다. 교실로 들어서자 ㉠서너 명의 아이들이 크로시를 놀리고 있었습니다.

긴 자로 크로시의 옆구리를 쿡쿡 찌르는 아이도 있었고, 얼굴에 밤 껍질을 던지는 아이도 있었습니다. 한쪽 팔을 쓰지 못하는 크로시의 흉내를 내는 아이도 있었습니다.

크로시는 금방이라도 울음을 터뜨릴 것 같았습니다. 그때 프란티가 책상 위로 올라가, 채소 장사를 하는 크로시 어머니를 흉내 냈습니다.

크로시 어머니는 병석에 누워 계셨습니다. 프란티가 어머니를 흉보자, 크로시는 너무 화가 났습니다. 그래서 그에게 잉크병을 집어 던졌습니다. 프란티가 몸을 피하자, 잉크병이 멀찍이 날아갔습니다.

잉크병은 교실로 들어오시던 선생님의 앞가슴에 명중되었습니다.

"누구야?"

선생님은 매우 화난 목소리로 물으셨습니다. 아이들은 겁에 질려 아무 말도 못했습니다. (중략)

그때 갈로네가 자리에서 일어났습니다.

㉡"제가 던졌습니다."

선생님은 한동안 갈로네의 얼굴을 뚫어져라 쳐다보았습니다. 그러더니 조용히 말씀하셨습니다.

"갈로네, 넌 아니다. 던진 사람이 일어나거라."

크로시가 훌쩍거리며 자리에서 일어났습니다.

"제가 던졌어요. 아이들이 놀려서 화가 났어요."

선생님은 무서운 얼굴로 아이들을 둘러보았습니다.

"크로시를 놀린 사람이 누구냐?"

그러자 네 명의 아이들이 자리에서 일어났습니다.

"친구를 놀리고 업신여기는 것처럼 비겁한 행동은 없어. 어떻게 같은 반 친구끼리 놀릴 수 있지? 그건 부끄럽고 바보 같은 짓이야."

선생님의 꾸지람에 네 명의 아이들은 고개를 들지 못했습니다. 선생님이 다시 말했습니다.

"갈로네, 넌 정말 훌륭한 사람이다!"

1 이 글에서 ㉠의 인물들이 한 일이 <u>아닌</u> 것은 무엇인가요? (   )

① 긴 자로 크로시의 옆구리를 찔렀다.

② 크로시의 얼굴에 밤 껍질을 던졌다.

③ 선생님께 크로시에 대하여 거짓말을 했다.

④ 한쪽 팔을 쓰지 못하는 크로시의 흉내를 냈다.

2 크로시가 잉크병을 집어 던진 까닭은 무엇인가요? (   )

① 아이들이 먼저 자신의 얼굴에 잉크병을 던지려고 해서

② 병석에 누워 계신 어머니를 흉보는 것이 너무 화가 나서

③ 갈로네가 아이들에게 잉크병을 던지라고 옆에서 부추겨서

④ 힘든 학교생활을 이해해 주지 못하시는 선생님이 원망스러워서

> 일어난 사건 정리하기 글에 나오는 인물들이 겪은 사건이 무엇인지 파악하여 순서대로 정리합니다. 인물들이 어떤 일을 겪고 그 일에 대하여 어떤 생각을 갖게 되는지를 주의 깊게 살펴봅니다.

인물, 사건, 배경
이해하기

3 이 글에서 일어난 사건의 순서에 알맞게 기호를 쓰세요.

> ㉮ 잉크병이 교실로 들어오시던 선생님의 앞가슴에 명중하였다.
>
> ㉯ 아이들이 크로시를 놀리자 화가 난 크로시가 잉크병을 집어 던졌다.
>
> ㉰ 선생님께서 누가 한 짓인지 묻자 갈로네가 자신이 한 짓이라며 자리에서 일어났다.
>
> ㉱ 크로시가 자신이 한 짓이라며 일어섰고, 크로시를 놀린 아이들이 선생님께 꾸중을 들었다.

(   ) → (   ) → (   ) → (   )

4 갈로네가 ⓒ과 같이 말한 까닭을 바르게 짐작하여 말한 친구의 이름을 쓰세요.

> 유빈: 크로시가 잉크병을 던지도록 옆에서 부추긴 사람이 자신이라는 것을 깨닫고 잘못을 용서받고 싶었기 때문이야.
>
> 민하: 선생님께서 화난 모습을 보고 놀림을 당한 크로시가 선생님께 혼까지 나면 더 속상할 것 같은 생각이 들었기 때문이야.
>
> 민영: 자신이 먼저 나서서 잉크병을 던졌다고 말하면 크로시를 놀린 아이들이 나중에 자신을 더 잘 챙겨 줄 거라고 생각했기 때문이야.

(   )

5 갈로네의 말과 행동으로 보아 갈로네는 어떤 성격이라는 것을 알 수 있나요?

(   )

① 힘든 상황에서도 좌절하지 않는 꿋꿋하고 명랑한 성격이다.
② 주변의 상황에 쉽게 흔들리며 용기가 부족한 소극적인 성격이다.
③ 자신의 희생을 통해 남을 지켜 주려는 배려심 많고 착한 성격이다.
④ 남보다 자기 자신의 이익을 생각하는 이기적이고 자기중심적인 성격이다.

오늘 독해는?

5문제 중   개를 맞혔어요!

마무리

독해 원리 학습

이야기의 구성 요소

1 인물
- 이야기에서 어떤 일을 겪는 사람이나 사물
- 인물의 말과 행동, 생각, 인물의 성격 등을 살펴보기

2 사건
- 이야기에서 일어나는 일
- 일이 일어난 순서, 사건의 원인과 결과 살펴보기

3 배경
- 이야기가 펼쳐지는 시간과 장소
- 시간적 배경, 공간적 배경, 시대적 배경 살펴보기

하나의 완성된 이야기가 되기 위하여 글에서
인물, 사건, 배경이 어떻게 나오는지 찾아봅니다.

48. 위 글의 공간적 배경에 대한 해석으로 적절하지 <u>않은</u> 것은?

① '마지기 판'은 '뜬쇠'와 '어미'의 신세대와 만나 인간적인 소통을 하

공간적 배경

② '춤판'은 '아이들'이 함께 어우러져 유대감을 확인하는 공간이다.
③ '춤판'은 '구경꾼들'이 공연 내용에 반응하며 전통 예술을 향유하는 공간이다.
④ '춤판'은 '민 노인

공간이다.

⑤ '집'은 '며느리'가

압하는 공간이다.

> 수능에는 인물, 사건, 배경과 관련하여 소설의 구성 요소를
> 잘 이해했는지 묻는 문제가 나와요.

WEEK

3

이어질 내용을
짐작해요

바나나 껍질 대소동

친구들이 복도에서 우당탕 장난치면서 뛰어오고 있네요.
그런데 복도 끝 쪽에 바나나 껍질이 하나 떨어져 있어요.
저런, 친구들은 앞을 보지 못하고 달려가고 있고,
바나나 껍질은 묵묵히 제자리를 지키고 있네요.
자, 이제 어떤 일이 벌어질지 여러분도 아시겠죠?

네, 결국 먼저 오던 친구가 바나나 껍질을 밟고 미끄러져 엉덩방아를 찧고 말았답니다.

'떨어진 바나나 껍질', '앞을 보지 못하고 달려오는 아이'와 같이 주어진 내용을 바탕으로 전체 흐름을 파악한 후, 이어질 내용을 짐작해 볼 수 있습니다. 이야기 글을 읽을 때에는 **이야기에서 일어난 사건의 흐름을 파악한 후, 앞의 내용과 자연스럽게 연결되도록 이어질 내용을 짐작**할 수 있어야 합니다.

삼년고개

다음 글을 읽으며, 빈칸에 들어갈 알맞은 낱말을 찾아 쓰세요.

벌렁	하필	벌컥

희준이는 같은 반 친구 유리를 혼자 몰래 좋아해요. 그런데 오늘 ☐☐
<small>다른 방도를 취하지 아니하고 어찌하여 꼭</small>

유리가 지나갈 때 복도 바닥에 물이 흐른 것을 보지 못하고 그만 ☐☐ 넘
<small>발이나 팔을 활짝 벌린 상태로 맥없이 굼뜨게 뒤로 자빠지거나 눕는 모양</small>

어지고 만 거예요. 더군다나 들고 있던 쓰레기통의 쓰레기까지 온몸에 뒤집

어 쓰고 말았지요. 희준이는 자신을 놀리는 친구들에게 ☐☐ 화를 냈다가
<small>급작스럽게 화를 내거나 기운을 쓰는 모양</small>

유리와 눈이 마주치자 입을 꼭 다물고 그 자리에서 겨우 도망쳤어요.

● 다음 글을 읽고, 물음에 답하세요.

옛날, 어느 마을에 삼년고개가 있었습니다. 이 고개에서 넘어진 사람은 삼 년밖에 살지 못한다는 전설 때문에 삼년고개라고 부르게 된 것입니다.

어느 날, 머리카락과 수염이 하얀 할아버지가 삼년고개를 넘어가고 있었습니다. 넘어질까 봐 조심조심 걷고 있는 할아버지 앞으로 갑자기 토끼 한 마리가 깡충깡충 뛰어갔습니다. 놀란 할아버지는 그만 뒤로 벌렁 넘어지고 말았습니다.

"아이고, 나는 이제 죽었네. 나 죽었어!"

할아버지는 삼 년밖에 못 산다는 생각에 땅을 치며 울었습니다. 한참 동안 울던 할아버지는 힘없이 집으로 돌아왔습니다.

"할멈, 나는 이제 삼 년밖에 못 살아. 삼년고개에서 넘어졌단 말이오. 하필 거기에서 넘어질 게 뭐람."

결국 할아버지는 이런저런 걱정을 하다가 그만 병이 났습니다.

이 소문을 들은 옆집 소년이 할아버지를 찾아왔습니다.

"아이참, 할아버지도, 뭘 그리 걱정하세요? 어서 일어나서 삼년고개로 가시지요."

"거기는 왜?"

"거기 가서 또 넘어지세요."

"뭐라고? 또 넘어지라고? 나더러 아예 죽으라는 거냐?"

할아버지는 화를 벌컥 내었습니다. 하지만 소년은 할아버지의 화가 난 모습에 아랑곳하지 않고 싱긋 웃으며 이렇게 대답했습니다.

㉠"할아버지, 한 번 넘어지면 삼 년은 사시니까, 두 번 넘어지면 육 년, 세 번 넘어지면 구 년을 사실 게 아니에요?"

1 이 글에서 중심이 되는 사건으로 가장 알맞은 것은 무엇인가요? (   )

① 할아버지가 이런저런 걱정을 하다가 그만 병이 났다.

② 삼년고개에서 한참 동안 울던 할아버지가 힘없이 집으로 돌아왔다.

③ 토끼 한 마리가 삼년고개를 넘어가고 있던 할아버지 앞으로 뛰어갔다.

④ 할아버지가 넘어지면 삼 년밖에 살지 못한다는 삼년고개에서 넘어졌다.

2 할아버지가 병이 난 까닭으로 알맞은 것을 골라 기호를 쓰세요.

> **가** 삼년고개에서 넘어지면서 몸을 크게 다쳤기 때문이다.
>
> **나** 자신이 삼 년밖에 살지 못하게 될까 봐 걱정을 했기 때문이다.
>
> **다** 할머니가 삼 년밖에 살지 못하게 되었다는 것을 알고 슬프고 걱정되었기 때문이다.

(   )

3 옆집 소년이 할아버지를 찾아와 한 말의 내용으로 알맞은 것에 ○표 하세요.

❶ 삼년고개로 가서 또 넘어져라.   (   )

❷ 삼년고개의 전설은 모두 지어낸 것이다.   (   )

❸ 삼년고개 근처에 다시는 절대로 가지 말아라.   (   )

4 삼년고개에 대한 옆집 소년의 생각은 어떠한지 찾고, 이를 통해 알 수 있는 옆집 소년의 성격을 짐작하여 각각 기호를 쓰세요.

❶ 옆집 소년의 생각: (　　　　　　)

> ㉮ 삼년고개에서 넘어지면 삼 년밖에 못 산다.
> ㉯ 삼년고개에서 한 번 넘어질 때마다 삼 년씩 더 산다.

❷ 옆집 소년의 성격: (　　　　　　)

> ㉮ 부지런한 성격　　　　㉯ 이기적인 성격
> ㉰ 소극적인 성격　　　　㉱ 긍정적인 성격

> 👆 **이어질 내용 짐작하기** 이어질 내용을 짐작할 때에는 사건들 사이에 원인과 결과가 있어야 합니다. 이 글의 끝부분에서 옆집 소년이 한 말을 원인으로 할아버지가 어떤 행동을 할지 짐작해 봅니다.

이어질 내용
짐작하기

5 ㉠의 말로 보아, 이 글에 이어질 내용을 알맞게 짐작하여 말한 친구의 이름을 쓰세요.

> **서현**: 할아버지는 그 뒤로 다시는 삼년고개 근처에는 얼씬도 하지 않고 걱정만 하면서 하루하루를 보낼 것 같아.
> **태옥**: 할아버지는 소년의 말이 그럴듯하다고 생각해서 삼년고개로 가서 계속 굴러 넘어지면서 크게 웃고 걱정을 떨칠 것 같아.

(　　　　　　)

오늘 독해는?

5문제 중　　　개를 맞혔어요!

송아지 내기

다음 글을 읽으며, 빈칸에 들어갈 알맞은 낱말을 찾아 쓰세요.

| 올찬 | 통곡 | 설움 | 화들짝 |

사람들은 일본의 통치 아래 온갖 ☐☐ 을 겪었어요. 몇몇 사람들은 크게

　　　　　　　　　　서럽게 느껴지는 마음

☐☐ 하면서 나라 잃은 슬픔을 드러냈어요. 그런데 유관순이라는 ☐☐

소리를 높여 슬피 욺.　　　　　　　　　　　　　　　　허술한 데가 없이 야무지고 기운찬

여성이 독립운동을 한다는 말을 듣고 사람들은 ☐☐☐ 놀랐어요. 여성의

　　　　　　　　　　　　　　　별안간 호들갑스럽게 펄쩍 뛸 듯이 놀라는 모양

몸으로 앞장서서 나라를 위해 자신의 목숨도 바치겠다는 의지가 대단하게 느

껴졌기 때문이에요.

● 다음 글을 읽고, 물음에 답하세요.

"좋아요. 무슨 내기 할까요?"

"내기?

"그럼 아무 내기도 없이 그냥 해요?"

올찬 동해의 대구에 영도 할머니께서는 '요 녀석 봐라?' 하는 표정을 지으셨습니다.

"그냥 하면 재미없지. 그래, 무슨 내기할까?"

어른들이 하는 내기를 할 수는 없는 일이었습니다. 무엇이 좋을지 동해가 망설이는데,

"송아지 내기할까?"

하고 영도 할머니께서 장난스레 말씀하셨습니다.

"송아지요? 송아지가 있어야죠."

"아, 느이 소, 새끼 배지 않았냐? 그걸 걸면 되잖냐?"

"할머니는요?" / "나도 우리 송아지를 걸지."

낳은 지 한 달이 넘은 영도네 송아지가 동해의 가슴속으로 펄쩍펄쩍 뛰어들어 왔습니다. 동해는 그 송아지를 내보내기가 싫었습니다.

'이기면 돼. 이기면 영도네 송아지는 내 거야.'

공부 외엔 무엇이든지 자신이 있는 동해였습니다. 씨름판의 장사가 황소를 타 가듯이, 송아지를 몰고 집으로 돌아가는 자기의 모습이 떠올랐습니다. (중략)

결과는 영도 할머니의 승리였습니다.

"아이고, 동해 일냈구나! 송아지 한 마리 잃었으니 어쩔 테냐?"

말판을 보아 주시던 동네 아주머니께서 빙글빙글 웃으며 겁을 주셨습니다.

"이번엔 소를 걸고 또 한 판 해 봐라."

㉠동해는 자기 머리 위로 어른들의 눈길이 끔벅끔벅, 장난스레 오가는 것을 보지 못하였습니다. (중략)

영도 할머니와 윷놀이를 한 것이 못 견디게 후회스러웠습니다. 시간을 다시 그전으로 돌릴 수만 있다면……. 그전의 일들이 모두 행복하였던 기억으로 떠올랐습니다.

'차라리 죽어 버릴까?'

죽은 자기를 끌어안고 통곡하는 어머니의 모습이 떠올랐습니다. 상상만으로도 설움이 북받쳐 올랐습니다. 갖가지 생각들이 설움을 덧보태었습니다. 동해는 이 세상에서 자기가 가장 불행한 아이라고 생각하며 눈물을 흘렸습니다.

"아니, 동해야. 여기서 뭐 하고 있는 거냐?"

아버지의 목소리에 동해는 화들짝 놀라 깨었습니다. 따뜻한 굴뚝에 기대어 깜빡 잠이 들었던 모양입니다.

"송아지를 낳았다."

아버지께서는 굴뚝 곁의 짚단 더미에서 짚을 한 단 내리셨습니다.

"송아지를 낳았다고요?"

ⓒ동해에게는 조금도 기쁜 소식이 아니었습니다. 동해는 고개를 푹 숙였습니다.

---

1 이 글에서 일어난 일을 정리할 때, 빈칸에 들어갈 알맞은 말을 쓰세요.

동해는 영도 할머니와 [   ] 내기를 하고 윷놀이를 하였다. ➜

윷놀이에서 동해가 영도 할머니에게 [   ]. ➜ 동해는 죽을 생각까지

하며 내기를 한 것을 후회했다. ➜ [   ] 네 소가 송아지를 낳았다.

2 ㉠이 뜻하는 내용으로 알맞은 것은 무엇인지 골라 기호를 쓰세요.

> ㉮ 어른들이 동해가 져서 송아지를 빼앗기게 된 것을 통쾌해하고 있다.
>
> ㉯ 어른들이 동해를 놀리고 있는데 동해는 그것을 눈치채지 못하고 있다.
>
> ㉰ 어른들이 동해 몰래 동해가 윷놀이에서 지도록 꾸민 것을 동해가 못 본 척하고 있다.

(   )

3 동해가 ⓒ과 같이 느낀 까닭은 무엇인가요? (   )

① 원래 송아지에 관심이 없어서

② 송아지를 돌보는 것이 귀찮아서

③ 영도 할머니네 송아지가 더 갖고 싶어서

④ 영도 할머니에게 송아지를 빼앗길 것이어서

4 이 글에서 동해의 마음이 어떻게 변하였나요? (   )

① 귀찮다. → 설렌다.　　　　② 두렵다. → 편안하다.

③ 걱정된다. → 만족스럽다.　　④ 자신만만하다. → 후회스럽다.

이어질 내용 짐작하기　이어질 내용을 짐작하여 쓸 때에는 사건의 흐름에 맞게 이야기의 처음, 가운데, 끝을 생각하고 써야 합니다. 앞부분에 나온 내용과도 어울리도록 알맞은 인물을 넣어 써 봅니다.

이어질 내용
짐작하기

5 이야기의 흐름을 생각하며 이 글에 이어질 내용을 짐작하여 알맞게 쓰세요.

5문제 중　　　　개를 맞혔어요!

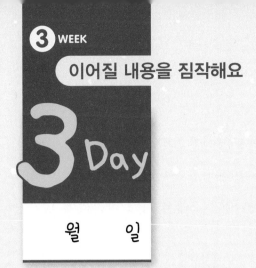

장님의 꾀

다음 글을 읽으며, 빈칸에 들어갈 알맞은 낱말을 찾아 쓰세요.

푼푼이	엉큼한	궁리	동네방네

현규는 용돈을 [   ] 모아 게임기를 사려고 했어요. 그래서 [   ]
한 푼씩 한 푼씩   마음속으로 이리저리 따져 깊이 생각함. 또는 그런 생각

끝에 [   ] 다니며 사람들의 심부름을 해 주고 그 돈으로 용돈을
온 동네 또는 이 동네 저 동네

달라고 했어요. 현규가 애교 섞인 목소리로 도울 일이 없는지 묻자 동네 사

람들은 웃으며 "네 [   ] 속을 모를 줄 알고?" 하고 말하였지만 알면서
엉뚱한 욕심을 품고 분수에 넘치는 짓을 하고자 하는 태도가 있는

도 현규에게 속아 넘어가 주었어요.

● 다음 글을 읽고, 물음에 답하세요.

옛날에 어느 장님이 푼푼이 돈을 벌어 한 오백 냥을 모았던 모양이야. 이걸 어떻게 하면 잘 간수할꼬 궁리하다가 뒷마당에 묻어 두기로 했어. 집 안에 두었다가 도둑이라도 들면 큰일이 잖아. 아, 앞을 못 보니 도둑이 훔쳐 간대도 손을 못 쓸 것 아니야? 그래서 아예 항아리에 넣어서 땅속에 묻어 두기로 한 거지.

그래서 그날 밤, 뒷마당을 파고 돈 항아리를 묻기 시작했어. 그런데 하필 그때 지나가던 이웃집 영감이 담 너머로 그걸 죄다 봤네.

'아니, 저게 뭐야? 돈 항아리 아니야? 앞이 보이지 않는 장님이니 내가 보고 있는 줄은 꿈에도 모르겠지?'

이웃집 영감은 본래 엉큼한 욕심쟁이였어. 그래서 장님이 돈 항아리를 묻고 집 안으로 들어가는 것을 보고 난 후에, 밤이 더 깊어질 때까지 기다린 다음 몰래 땅을 파고 돈을 몽땅 훔쳐 갔어.

그리고 이튿날 아침, 장님은 돈 항아리가 잘 있나 싶은 마음에 돈을 묻은 데를 더듬어 보았어.

"아니, 이게 어떻게 된 일이야!"

이웃집 영감이 돈만 훔쳐 가고 그대로 도망간 탓에 땅은 파헤쳐져 있고 빈 항아리만 남아 있는 거야.

"아이고, 평생 모은 돈을 하루아침에 잃어버렸구나. 이 일을 어쩐다?"

장님은 어떻게 하면 돈을 도로 찾을꼬, 이 궁리 저 궁리하다가 드디어 참 좋은 꾀를 하나 냈어. 장님은 그 길로 동네방네 다니면서 이런 말을 하고 다녔어.

㉠"여보게들, 나에게 돈 천 냥이 생겼는데 이걸 간수할 일이 걱정이야. 아무래도 어제 오백 냥 묻은 곳에 같이 넣어 둬야 할 것 같아."

마을 사람들 사이에 장님의 말이 돌고 돌았고 돈을 훔쳐 간 이웃집 영감 귀에도 그 말이 들어갔어. 그 말을 들은 이웃집 영감이 가만히 생각해 보니 이러고 있을 일이 아니란 말이야. 장님이 돈이 없어진 것을 이미 안다는 것을 모르고, 장님이 어제 돈 묻은 곳을 파 보고 돈이 없어진 걸 알면 틀림없이 딴 데다 돈 천 냥을 감출 게 뻔하다고 생각한 거야.

✍️ **이야기의 흐름 파악하기** 장님과 이웃집 영감 사이에 일어난 사건을 차례대로 정리하여 이야기의 흐름을 파악해 봅니다.

이어질 내용
짐작하기

1 **이야기의 흐름에 따라 일이 일어난 순서대로 기호를 쓰세요.**

> 🄐 장님이 돈 오백 냥을 뒷마당에 묻어 둠.
>
> 🄑 이웃집 영감이 장님이 꾀를 내어 한 말을 듣게 됨.
>
> 🄒 장님이 묻어 둔 돈을 누군가가 훔쳐 간 것을 알게 됨.
>
> 🄓 이웃집 영감이 장님이 돈을 묻는 것을 몰래 보고 돈을 훔쳐 감.
>
> 🄔 장님이 돈 천 냥을 오백 냥 묻은 곳에 같이 두어야겠다는 말을 하고 다님.

(   ) → (   ) → (   ) → (   ) → (   )

2 **이 글에 나오는 인물들의 성격은 어떠한지 보기 에서 찾아 각각 기호를 쓰세요.**

> **보기**
>
> 🄐 솔직하다.   🄑 꾀가 많다.   🄒 욕심이 많다.

❶ 장님: (   )   ❷ 이웃집 영감: (   )

3 **장님의 말을 듣게 된 이웃집 영감의 생각으로 알맞은 것을 골라 ○표 하세요.**

❶ '흥, 내가 그런다고 속을 줄 알고? 난 이미 가져온 돈 오백 냥으로도 충분하다고.'   (   )

❷ '내가 이러고 있을 때가 아닌데? 돈이 없어진 걸 알면 돈 천 냥을 딴 데다 감출 거 아냐? 그 돈도 내가 가져와야지.'   (   )

4 장님이 마을 사람들에게 ㉠과 같은 말을 퍼뜨린 까닭을 알맞게 짐작한 친구의 이름을 쓰세요.

> **서영:** 도둑이 그 말을 듣고 돈 천 냥도 훔쳐 가려고 먼저 훔쳐 간 오백 냥을 원래 있던 자리에 도로 묻어 둘 것으로 생각했기 때문이야.
>
> **세호:** 원래 없던 돈 천 냥까지 도둑이 훔친 것으로 해서 나중에 도둑을 잡아 더 큰 돈을 받아 내려고 했기 때문이야.

(   )

이어질 내용 짐작하기 이야기 속 인물들의 말이나 생각 등을 바탕으로 자연스럽게 이어질 이야기를 상상해 봅니다. 이 글에서는 장님이 한 말과 그에 대한 이웃집 영감의 생각을 살펴봅니다.

이어질 내용
짐작하기

5 이야기의 흐름으로 보아 이 글에 이어질 내용을 바르게 짐작한 것에 ○표 하세요.

① 장님은 돈 천 냥을 오백 냥을 묻어 두었던 곳에 묻어 두고 이번에도 이웃집 영감이 돈 천 냥을 훔쳐 가자 뒤늦게 자신의 어리석음을 탓하며 후회할 것이다. (   )

② 이웃집 영감은 돈 천 냥도 훔칠 마음으로 훔친 돈 오백 냥을 그 자리에 도로 갖다 묻어 놓고, 장님은 되돌아온 오백 냥을 꺼내어 아무도 모르는 곳에 숨겨 둘 것이다. (   )

오늘 독해는?

5문제 중   개를 맞혔어요!

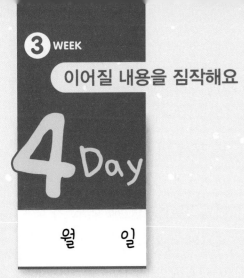

네덜란드의 꼬마 영웅

다음 글을 읽으며, 빈칸에 들어갈 알맞은 낱말을 찾아 쓰세요.

엷은	단박	욱신거리다	꼬박

구두 아저씨는 밤을 [   ] 새서 멋진 신발을 한 켤레 만들었어요. 어깨는

어떤 상태를 고스란히 그대로

[   ] 못해 찢어질 듯 아팠지만 아저씨의 얼굴에는 [   ] 미

머리나 상처 따위가 자꾸 쑤시는 듯이 아파 오다   지나치게 드러냄이 없이 있는 듯 없는 듯 가만한

소가 떠나지 않았어요. 망가진 구두를 고치기만 했던 아저씨가 처음으로 직

접 만든 신발이었거든요. 진열대 위에 올려진 그 신발을 본 한 여자는 귀한

신발이라는 것을 [   ] 에 알아차리고 비싼 값에 신발을 사 갔어요.

그 자리에서 바로를 이르는 말

● 다음 글을 읽고, 물음에 답하세요.

네덜란드는 나라의 대부분이 바다보다 낮아 높다란 둑이 없으면 북해°의 바닷물이 밀려 들어와 온 나라가 물에 잠기고 맙니다.

오래전 그 나라에 피터라는 아이가 살고 있었습니다. 피터가 여덟 살이 되던 해 어느 가을 날 오후였습니다. 피터는 어머니의 심부름으로 둑 너머에 살고 계시는 아저씨께 케이크를 갖다 드리고 오는 길이었습니다. 자고 가라며 소매를 붙잡던 아저씨 생각에 엷은 미소를 지으며 걷고 있던 피터는 문득 날이 어두워지고 있다는 것을 깨닫고는 깜짝 놀라 후다닥 달리기 시작했습니다.

바로 그때 피터의 귀에 무슨 소리가 들렸습니다. 졸졸졸, 물이 새는 소리였습니다. 둑에 뚫린 작은 구멍으로 물줄기가 가늘게 새어 나오고 있는 것을 본 피터는 단박에 위험하다는 것을 알았습니다. 피터는 당장 둑을 기어 내려가 그 작은 구멍에 손가락을 끼웠습니다. 그러자 흐르던 물이 뚝 그쳤습니다.

"와아, 이제 더 이상 성난 물은 들어오지 않아. 손가락으로 막아 버렸으니까. 내가 여기 있는 한 우리나라는 물에 잠기지 않을 거야."

그런데 곧 날이 캄캄해지고 추워졌습니다.

"여기요! 저 좀 도와주세요!"

하지만 아무도 피터가 외치는 소리를 듣지 못했습니다.

날은 점점 더 추워지고 팔은 욱신거리다 못해 뻣뻣해져서 아무 감각도 없었습니다. 그렇지만 누구도 도와주러 오는 사람이 없었습니다. 휘파람을 불어 신호를 보내려고 했지만 추워서 이가 다닥다닥 부딪치기만 할 뿐 아무 소리도 낼 수 없었습니다. 따뜻한 침대에 누워 있을 형과 누나, 그리고 사랑하는 어머니와 아버지가 떠올랐습니다.

"식구들이 물에 빠져 죽으면 안 돼. 밤을 새우더라도 누가 올 때까지 여기 있어야 해."

피터는 성난 바다를 막고 있는 손을 비벼 대며, 정말로 밤이 꼬박 새도록 물을 막아 냈습니다.

● 북해: 영국과 유럽 대륙의 벨기에, 네덜란드, 독일, 덴마크, 노르웨이 등에 둘러싸인 바다

1 **피터가 살고 있는 곳의 특징으로 알맞은 것은 무엇인가요? (   )**

① 육지에서 멀리 떨어진 섬나라이다.

② 바다의 수면이 국토보다 대부분 낮다.

③ 태풍이나 홍수가 잘 일어나지 않는다.

④ 국토의 대부분이 바다의 수면보다 낮다.

2 **어머니의 심부름을 다녀오는 길에 피터가 본 것은 무엇인지 빈칸에 알맞은 말을 쓰세요.**

둑에 뚫린 작은 구멍으로 새어 나오는 □□□

3 **피터는 2에서 답한 것을 보고 어떤 행동을 하였나요? (   )**

① 재빨리 집으로 달려가 사람들에게 위험을 알렸다.

② 주변에서 둑을 막을 것을 찾아내어 둑을 막고 집으로 돌아왔다.

③ 당장 둑을 기어 내려가 작은 구멍에 손가락을 끼워 물을 막았다.

④ 어머니의 심부름으로 갔던 아저씨 집으로 되돌아가서 아저씨와 함께 둑으로 다시 왔다.

이어질 이야기
짐작하기

4 **이 글을 읽고 다음과 같이 이어질 이야기를 짐작해 보았습니다. 빈칸에 들어갈 내용으로 알맞은 것을 골라 ○표 하세요.**

> 다음 날 아침, 한 아저씨가 일을 나가려고 둑 위를 걸어가다가 피터가 벽에 붙어 있는 것을 알게 됨. → ☐

❶   아저씨는 피터에게 장난을 치지 말라고 혼내셨고, 피터는 자신의 잘못을 뉘우치며 반성함.   (   )

❷   사람들이 피터가 한 일을 알게 되고, 피터의 용감함으로 생명을 구하게 된 것을 고마워하며 오랫동안 피터를 기억함.   (   )

5 **이 글을 읽고 피터에게 하고 싶은 말을 알맞게 한 친구의 이름을 쓰세요.**

> **도균:** 네가 추위와 무서움을 견디며 끝까지 용기를 잃지 않은 것을 보고 정말 대단하다고 생각했어.
>
> **세주:** 너의 안전도 중요하지만 다음에는 자기 자신만 생각하기보다는 다른 사람도 생각하는 여유를 가지길 바라.

(   )

5문제 중   개를 맞혔어요!

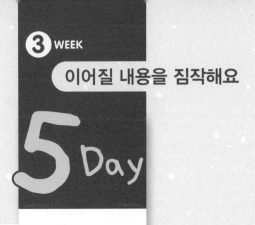

금강초롱

다음 글을 읽으며, 빈칸에 들어갈 알맞은 낱말을 찾아 쓰세요.

오순도순	까마득히	사정	기특한

도시에서 ☐☐☐☐ 멀리 떨어진 어느 산골에 ☐☐☐☐ 모여 사

<small>거리가 매우 멀어 보이는 것이나 들리는 것이 희미하게</small>   <small>정답게 이야기하거나 의좋게 지내는 모양</small>

는 한 마을이 있었어요. 그런데 이 마을에 아이들은 걸리지 않고 어른들에게

만 퍼지는 전염병이 돌았어요. 아이들은 병이 든 어른들을 위해 ☐☐☐

<small>말하는 것이나 행동하는 것이 신통하여 귀염성이 있는</small>

생각을 했어요. 마을을 떠나 도시로 가서 사람들에게 이곳 ☐☐ 을 알리기

<small>일의 형편이나 까닭</small>

로 말이에요.

● 다음 글을 읽고, 물음에 답하세요.

아주 먼 옛날, 금강산 골짜기에 오누이가 살았어. 아버지, 어머니가 일찍 돌아가셔서 단둘이 살고 있었지. 오누이는 서로 아껴 주며 오순도순 잘 살았어. 그런데 그만 누나가 덜컥 병이 들어 자리에 눕고 만 거야. 동생은 아픈 사람한테 좋다는 이런저런 약초를 다 캐다가 먹여 보았지. 하지만, 누나의 병은 쉽게 낫지 않았단다.

하루는 동생이 약초를 찾아 숲속을 헤매다가 어떤 할아버지를 만났어. 그런데 그 할아버지께서 동생에게 이런 말을 하는 거야.

"네 누나의 병은 인간 세상의 약초로는 고칠 수가 없느니라. 저 하늘 나라 달에 있는 계수나무 열매를 따다 먹이면 몰라도……."

그 말을 남기고 할아버지는 사라져 버렸어.

동생은 곧장 집으로 달려와 누나에게 말하였어.

"누나, 달에 있는 계수나무 열매만 먹으면 누나 병이 깨끗이 낫는대. 내가 당장 구해 올게."

"아니, 무슨 수로 하늘에 떠 있는 달에 간단 말이니?"

"금강산 꼭대기 비로봉으로 갈 거야. 거기선 하늘이 가깝잖아."

"비로봉이라고? 그 높고 험한 곳에 어떻게 간다고……. 그런 생각은 하지도 마."

누나가 아무리 말려도 동생은 괜찮다며 길을 떠났어. (중략)

마침내 동생은 비로봉 꼭대기에 올랐어. 그런데도 하늘은 까마득히 멀게만 보이는 거야. 어느덧 날이 저물고 하늘에는 달이 떠올랐지. 동생은 그 달을 바라보며 깊은 한숨을 쉬었어.

"후유, 이제 어떡하면 좋을까? 저 달에 있는 계수나무 열매를 따야 하는데……."

바로 그때, 아래쪽에 누군가 사뿐사뿐 올라오는 게 보였어. 가만 보니 하늘 나라 선녀야. 선녀는 어느 바위 앞으로 가더니, 그 바위에 난 작은 구멍에서 구슬 하나를 꺼내었어. (중략)

동생은 그 바위 구멍에서 구슬을 꺼냈어. 그러고는 선녀가 한 것처럼 구슬을 들어 하늘에 대고 비추었지. 그러자 하늘에서 사다리가 주르륵 내려왔어. 동생은 얼른 사다리에 올라탔어. 사다리는 은빛과 금빛으로 아름답게 반짝이면서 밤하늘로 올라갔단다.

하늘에 올라간 동생은 곧장 달을 찾아갔어. 그곳에선 옥토끼가 계수나무를 지키고 있었지. 동생이 달에 온 사정을 이야기하자 옥토끼는 고개를 끄덕이며 말하였어.

"누나를 이렇게 아끼다니 참 기특한 동생이군요. 내가 계수나무 열매를 따 드리지요."

옥토끼는 계수나무 열매를 동생한테 건네주었어.

㉠"이걸 가지고 얼른 내려가세요. 세상 사람들이 하늘 나라에 올라온 것 알면, 하늘 왕께서

크게 화를 내실 거예요."

동생은 계수나무 열매를 가지고서 얼른 사다리를 타고 땅으로 내려오기 시작하였지.

누나는 밤늦도록 동생이 돌아오지 않자 걱정이 되었어. 그래서 초롱에 불을 밝혀 들고는 집을 나섰지. 동생이 간다고 하였던 비로봉에 가려고 말이야.

1 동생이 금강산 꼭대기 비로봉으로 가려고 한 까닭은 무엇인지 빈칸에 알맞은 말을 쓰세요.

하늘 나라 ☐ 에 있는 ☐☐☐☐ 열매를 먹으면 누나의 병이 낫는다는 말을 듣고 하늘이 가까운 곳으로 가기 위해서이다.

2 비로봉 꼭대기에 오른 동생은 어떻게 하늘로 올라갔나요? (　　)

① 하늘에서 내려온 선녀에게 사정을 이야기하자 선녀가 동생을 안고 하늘로 함께 올라갔다.

② 하늘 왕이 하늘에서 동생을 내려다보고는 딱하게 여겨 사다리를 내려 주어 하늘로 올라갔다.

③ 하늘에서 내려온 밧줄을 잡고 선녀가 올라가는 것을 보고 몰래 줄에 매달려 함께 하늘로 올라갔다.

④ 선녀가 한 것처럼 바위 구멍에서 꺼낸 구슬을 하늘에 비추어 하늘에서 내려온 사다리를 타고 올라갔다.

3 하늘에 올라간 동생에게 일어난 일로 알맞은 것은 무엇인가요? (   )

① 계수나무 열매를 찾지 못해 슬퍼했다.

② 선녀의 도움으로 계수나무 열매를 찾아냈다.

③ 옥토끼가 동생에게 계수나무 열매를 주었다.

④ 하늘 왕에게 하늘에 올라온 것을 들켜 다시 땅으로 쫓겨났다.

> **이어질 내용을 쓰는 방법** 이야기의 앞부분에 나오지 않는 새로운 인물을 등장시켜 이어질 내용을 쓸 수 있습니다. 이때 앞부분의 내용과 이야기의 흐름이 자연스럽게 이어질 수 있도록 주의해야 합니다.

이어질 내용
짐작하기

4 다음 중 ㉠의 내용을 바탕으로 새로운 인물을 등장시켜 이어질 내용을 쓴 것을 골라 기호를 쓰세요.

> **㉮** 동생은 사다리를 타고 무사히 내려오고, 자신을 찾으러 온 누나에게 계수나무 열매를 먹여 누나의 병이 나아 오누이는 그 후로 행복하게 산다.
>
> **㉯** 동생이 하늘 나라에 올라온 걸 알게 된 하늘 왕이 화가 나 동생이 내려오던 사다리를 부러뜨려서 동생이 떨어져 죽고, 그 모습을 본 누나도 너무 놀라 쓰러지고 만다.

(   )

1 이야기의 흐름 파악하기

이야기에서 일어난 중요한 일을 찾아 차례대로 정리해 본다.

2 이어질 내용 상상하기

사건이 일어난 차례, 원인과 결과의 관계를 생각하며 이어질 내용을 상상해 본다.

3 이어질 내용을 짐작할 때 주의할 점

• 사건의 흐름에 맞게 이어질 내용을 상상한다.
• 이야기의 처음, 가운데, 끝을 생각하여 쓴다.
• 사건들 사이에 원인과 결과 관계가 있어야 한다.

이어질 내용 짐작하기

이야기에서 중요한 사건을 찾아 흐름을 파악하며 읽으면,
자연스럽게 이어질 내용을 짐작할 수 있습니다.

A단지 이외의 학생들이 많이 타는 곳을 거점 정류장으로 정하면 될 것입니다.
　제 건의 내용이 받아들여진다면, 　　　　　　　㉠　　　　　　　

9. 선생님의 조언을 고려할 때, ㉠에 들어갈 내용으 　　　　㉠에 들어갈 내용
　것은?

① 수요 조사에 띠 　　수능에는 글의 흐름을 바탕으로 이어질 내용을 알맞게 짐
　에 기여하며, 　작할 수 있는지 묻는 문제가 나와요.
　될 것입니다.

② A 단지 학생들이 겪는 등굣길 버스 이용의 불편을 줄일 수 있
　으 뿐만 아니라 A 단지 학생들이 아침 수면 시간을 확보할 수

WEEK 4

사실과 의견을 구분해요

꽃병을 깨트린 범인을 찾아라!

쟁그랑! 무엇인가 깨지는 소리에 놀란 명호가 거실로 가 보았어요. 거실에는 꽃병이 깨져 있고, 그 옆으로 강아지 토토의 발자국이 있네요.
'아하! 토토 녀석이 꽃병을 깬 게 틀림없어!'
사건과 범인, 이 상황 안에 사실과 의견이 숨어 있는데요. 여러분은 구분할 수 있나요?

'사실'은 '실제로 있었던 일'을 말하고, '의견'은 '대상이나 일에 대한 생각'을 말합니다. 그러므로 여기에서는 '꽃병이 깨져 있고 토토의 발자국이 있는 사건'이 사실이 되고, '토토가 범인'이라는 명호의 생각이 '의견'이 되겠죠?

사실과 의견의 차이를 알고, 글에서 이 두 가지를 구분할 수 있어야 합니다.

막 버리지 마세요!

다음 글을 읽으며, 빈칸에 들어갈 알맞은 낱말을 찾아 쓰세요.

어처구니	일부	매립장

"내가 정말 ☐☐☐☐ 가 없어서 말이지. 결국 우리 동네 옆에 쓰레기

일이 너무 뜻밖이어서 기가 막히는 듯할 때 '~없다'라고 함.

☐☐☐ 이 생긴다는데 이걸 어떡하지?" 어머니께서 화가 난 듯 씩씩거리며

돌이나 흙, 쓰레기 따위로 메워 올리는 우묵한 땅

집으로 들어오셨어요. ☐☐ 마을 사람들이 반대했지만 소용이 없었나 봐요.

한 부분. 또는 전체를 여럿으로 나눈 얼마

어딘가에는 쓰레기를 처리할 곳이 생겨야 하지만 그곳이 우리 집 근처는 아

니길 바라는 사람들의 마음이 이해되면서도 매우 어려운 문제 같아요.

● 다음 글을 읽고, 물음에 답하세요.

여러분은 ㉠플라스틱이나 종이 상자로 포장된 물건을 살 때 그 물건과 함께 쓰레기를 사고 돈을 지불하고 있다는 사실에 대해 생각해 본 적이 있나요?

어처구니없는 이야기처럼 들리겠지만 그것은 사실이랍니다. 우리는 포장지를 찢어서 쓰레기통 속에 구겨 넣습니다. 만일 그것이 플라스틱 포장이라면 지구에 묻혀 있는 보물인 석유를 이용해서 만든 것입니다. 그것은 수백만 년 동안 땅속에 묻혀 있었습니다. 아마 한때 공룡의 일부였는지도 모릅니다.

그렇다면 이러한 플라스틱 포장을 석유로 다시 재활용할 수 있지 않겠냐고요? 안타깝게도 일단 석유를 플라스틱으로 만든 후에는 다시 바꿀 수가 없습니다. 다시 지구의 일부가 될 수 없는 것이죠. 결국 오랜 시간과 과정을 거쳐 만든 플라스틱 포장은 한낱 쓰레기가 되고 마는 것입니다. 더군다나 땅속에서 쉽게 썩지도 않을 쓰레기로 말이죠.

그러므로 ㉡여러분은 장난감이나 음식, 그 밖의 물건을 살 때마다 지구를 도와줄 수 있는 기회를 가질 수 있습니다. 앞으로 물건을 살 때에는 물건들이 어떻게 포장되어 있는지 살펴보고 조심스럽게 선택해야 할 것입니다.

여러분은 혹시 이런 사실을 알고 있나요? 한 사람이 매년 버리는 플라스틱 포장의 무게는 27킬로그램이 된다고 합니다. 여러분의 몸무게와 비교해 보면 27킬로그램이 어느 정도의 무게인지 알 수 있을 것입니다. 정말 많은 양의 플라스틱임에 틀림없습니다.

미국인들의 경우 한 시간에 250만 개의 플라스틱 병을 사용한답니다. 믿어지나요? 그리고 대부분은 그냥 버려집니다.

쓰레기 매립장을 가득 채우는 쓰레기의 삼분의 일 가량은 포장 용품입니다. 우리가 포장을 적게 한다면 쓰레기는 그만큼 줄어들게 될 것입니다.

1 ㉠이 뜻하는 내용은 무엇인가요? (   )

① 포장지는 결국 쓰레기로 버려진다는 것

② 포장된 물건은 다른 물건보다 값이 싸다는 것

③ 포장지는 쓰레기를 재활용하여 만들어진다는 것

④ 물건을 포장할 때 쓰는 포장지는 매우 귀하다는 것

글에 나타난 사실 알기 글에서 현재에 있는 일이나 실제로 있었던 일을 나타내는 부분이 사실입니다. 이와 같이 정보를 알려 주는 글에서 제시한 사실이 무엇인지 찾아보고 그 내용을 제대로 이해할 수 있어야 합니다.

사실과 의견
구분하기

2 이 글에서 알려 주는 사실로 알맞은 것을 두 가지 고르세요. (   )

① 플라스틱 포장은 석유를 이용해서 만든 것이다.

② 미국인들은 플라스틱 병을 대부분 사용하지 않는다.

③ 석유로 만든 플라스틱 포장은 다시 석유로 재활용할 수 있다.

④ 한 사람이 매년 버리는 플라스틱 포장의 무게는 27킬로그램이다.

글쓴이의 의견 짐작하기 지구의 환경 보호와 관련해 물건을 살 때 쓰이는 플라스틱 포장에 대한 글쓴이의 생각이 무엇인지 찾아봅니다.

사실과 의견
구분하기

3 ㉡에 담긴 글쓴이의 의견으로 알맞은 것을 골라 기호를 쓰세요.

> ㉮ 물건을 많이 살수록 지구의 환경을 되살릴 수 있다.
>
> ㉯ 재활용하여 만든 물건을 사는 것이 지구의 환경을 지킬 수 있는 방법이다.
>
> ㉰ 물건을 살 때 플라스틱 포장을 줄이는 것만으로도 지구의 환경을 지킬 수 있다.

(   )

4 이 글을 읽고 알 수 있는 글쓴이의 의견이 나타나는 표어 문구로 알맞은 것을 골라 ○표 하세요.

① 계속되는 자연 개발 아파하는 우리 지구 ( )

② 포장, 줄일수록 깨끗한 지구가 살아나요 ( )

③ 남이 아니라 나부터 앞장서서 지키는 질서 ( )

5 이 글에 담긴 글쓴이의 의견을 생각하여 지구를 살릴 수 있는 방법을 실천한 친구의 이름을 쓰세요.

> • 가족 중에 앞장서서 쓰레기 분리 수거를 열심히 하는 세영
> • 평소에 버리는 물건을 재활용하여 새롭게 만들어 내는 연두
> • 친구에게 생일 선물을 줄 때 포장지 대신 보자기로 예쁘게 싸서 준 주희

( )

5문제 중 　　개를 맞혔어요!

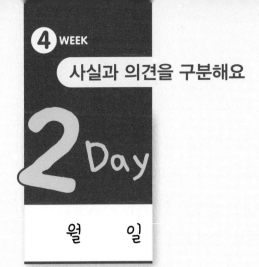

아름다운 용기

다음 글을 읽으며, 빈칸에 들어갈 알맞은 낱말을 찾아 쓰세요.

직감적   의로운   담담함   담보

학원에 늦어 뛰어서 길을 건너던 선우는 '끼익' 요란한 소리에 ☐☐☐

사물이나 현상을 보았을 때 곧바로 느껴 알아차리는 것

으로 사고가 난 것을 알았어요. 그런데 놀랍게도 선우는 어느 청년의 품에

안겨 있었어요. 그 청년은 자신의 목숨을 ☐☐로 온몸을 던져 선우를 구

맡아서 보증함.

하는 ☐☐☐ 행동을 한 거였어요. 그 청년은 고마워하는 선우의 말에도

정의를 위한 의기가 있는

겸손함과 ☐☐☐으로 자신이 가던 길을 그냥 갔어요.

차분하고 평온함.

● 다음 글을 읽고, 물음에 답하세요.

한 역무원이 몸을 던져 아이를 구한 뒤 자신은 열차에 치여 두 발목을 잃었다. 25일 오전 9시 9분쯤 서울 영등포역에서 열차 운용 팀장인 김○○ 씨가 열차가 막 들어오는 승강장의 안전선 바깥에서 놀던 아이를 구하려다 기차에 치여 두 발목을 잃는 중상을 입었다.

이날 오전 9시 새마을호가 영등포역에 정차하기 위해 역내로 들어오는 순간, 승강장에선 5~6세로 보이는 한 아이가 안전선 바깥으로 아장아장 뛰어나갔다. 직감적으로 아이가 위험하다고 생각한 김씨는 급히 호루라기를 불었다. 아이가 계속 선로 쪽으로 다가가자 김씨는 기차를 세우기 위해 기관사에게 급히 수신호를 보냈으나 기차가 정차하기에는 이미 늦은 상황이었다. 다급해진 김씨는 재빨리 뛰어가 아이를 안전선 안쪽으로 밀어냈으나 정작 자신은 몸의 중심을 잃고 50cm 아래 선로로 떨어졌다. 역 안으로 기차가 들어오는 것을 본 김씨는 서둘러 바로 옆 상행선 선로로 몸을 피했으나 왼쪽 발목은 미처 빠져나오지 못했다.

㉠사고 직후, 김씨는 왼쪽 발목과 오른쪽 발등이 잘린 상황에서도 동료 직원들에게 자신이 구한 아이의 안전을 먼저 걱정했던 것으로 알려졌다.

옳은 것을 지키기 위해서는 때로 어려움을 만날 수도 있고 손해를 볼 수도 있으며 남을 위하여 자신을 기꺼이 희생해야 하는 때도 있다. 따라서 용기가 없이는 행동하기 어렵다. ㉡그래서 공자는 "의로운 일을 보고도 행하지 않는다면 용기가 없는 것이다."라는 말을 했다. ㉢한 아이의 생명을 구하고 대신 다리를 잃은 역무원의 희생 정신은 자신의 몸을 희생하면서까지 의로움을 실천하고자 한 진정한 용기라고 볼 수 있다.

그는 사고 이후에도 자신의 의로움을 내세우기는커녕 자신이 하는 일이 단지 그것일 뿐이었다며 겸손함과 담담함으로 사람들에게 큰 울림을 주었다. ㉣오늘도 소리 없이 자신이 서 있는 자리에서 열과 성을 다하는 많은 이들 가운데 자신의 목숨을 담보로 큰 용기를 내는 이러한 의인들 덕분에 이 사회가 함께해서 더 아름다운 희망의 공동체가 되는 것이다.

글에서 사실 찾기 이 글은 실제 있었던 사건을 바탕으로 작성한 글이기 때문에 언제, 어디에서, 어떤 일이 일어났는지를 살펴보면 됩니다.

사실과 의견
구분하기

1 **이 글에서 전하고 있는 사실로 알맞은 것은 무엇인가요? (   )**

① 지하철 안전 사고를 방지하기 위한 법이 새롭게 만들어졌다.

② 역무원이 지하철 승강장에서 위험에 처한 아이를 구하고 두 발목을 잃었다.

③ 역무원이 지하철에서 사고를 당한 아이를 위해 오랫동안 많은 도움을 주었다.

④ 역무원이 선로로 떨어진 아이를 구하기 위해 들어오는 기차를 가까스로 세웠다.

2 **이 글에 나오는 인물의 행동과 관련된 말로 알맞은 것을 골라 ○표 하세요.**

❶ 살신성인 (殺身成仁)	❷ 고진감래 (苦盡甘來)	❸ 동병상련 (同病相憐)
( )	( )	( )

글에서 의견 찾기 이 글은 사건에 대한 객관적인 사실을 알려 주면서 그 사건에 대한 글쓴이의 생각을 덧붙이고 있습니다. 글에서 전하고 있는 사건에 대하여 긍정적 혹은 부정적으로 생각하는 글쓴이의 의견을 찾아봅니다.

사실과 의견
구분하기

3 **㉠~㉢ 중 글쓴이의 의견이 담겨 있는 부분끼리 묶은 것은 무엇인가요? (   )**

① ㉠, ㉡   ② ㉠, ㉢

③ ㉡, ㉢   ④ ㉢, ㉣

4 글쓴이의 의견을 한 문장으로 정리하여 가장 알맞게 쓴 것을 골라 기호를 쓰세요.

> ㉮ 의로운 일을 보고도 행하지 않는 용기 없는 사람들은 끊임없이 자신을 반성하고 채찍질해야 한다.
>
> ㉯ 남을 위해 자신을 희생하는 용기 있는 의인들 덕분에 우리 사회가 함께해서 더 아름다운 공동체가 된다.
>
> ㉰ 자신의 의로움으로 누군가에게 도움이 된 것에 대해 당당하게 알리고 그것이 사람들에게 인정받도록 해야 한다.

(   )

5 이 글을 읽고 우리가 사는 공동체를 위해 용기 있는 행동을 한 경험을 바르게 말한 친구의 이름을 쓰세요.

> **윤진:** 친구가 내가 제일 아끼던 책을 빌려 갔다가 잃어버렸다며 진심으로 사과해서 기꺼이 용서해 주었어.
>
> **정우:** 힘센 친구가 힘이 약한 우리 반 친구를 괴롭히고 있는 것을 보고 용기 있게 나서서 친구를 도와주었던 적이 있어.
>
> **서영:** 실수로 엄마께서 아끼시는 유리병을 깨뜨리고 나서 그 사실을 숨기지 않고 용기 내서 엄마께 잘못한 일을 말씀드렸어.

(   )

오늘 독해는?

5문제 중   개를 맞혔어요!

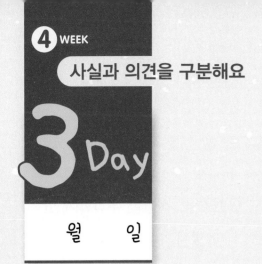

4 WEEK
사실과 의견을 구분해요
3 Day

월   일

우리말을 아끼자

다음 글을 읽으며, 빈칸에 들어갈 알맞은 낱말을 찾아 쓰세요.

무분별	정서	정겹다

 학교 옆에 있는 예주네 문구점이 머지않아 문을 닫는대요. 학용품을 싸게

파는 큰 상점이 학교 근처에 새로 생겼거든요. 학생들은 예주네 문구점이

☐☐☐고 말하지만 여기저기 ☐☐☐하게 생기는 큰 상점들 속에서
정이 넘칠 정도로 매우 다정하다   분별이 없음.

작은 문구점은 버티기 힘들었어요. 예주네 문구점은 어쩔 수 없이 물건을 더

싸게 사려는 사람들의 ☐☐를 받아들이게 되었어요.
        사람의 마음에 일어나는 여러 가지 감정

● 다음 글을 읽고, 물음에 답하세요.

(가) ㉠요즈음 텔레비전을 보다 보면 외국 말을 사용하는 경우를 많이 볼 수 있다. '게스트', '브랜드' 등과 같은 말이나, '리얼하다', '핸섬하다' 등과 같은 문구도 심심찮게 볼 수 있다. 우리말에 적절한 낱말이 없어서 외국 말을 받아들인 경우도 있겠지만, 적절한 우리말이 있는데도 외국 말을 아무 생각 없이 섞어서 쓸 때가 너무 많다. ㉡이렇게 무분별하게 외국 말을 사용하기보다는 아름다운 우리말을 살려서 쓰면 좋겠다.

왜냐하면 외국 말을 무분별하게 사용하다 보면 우리말을 사용하는 횟수가 줄어들어 결국 아름다운 우리말이 점점 사라질 수 있기 때문이다. 요즈음 어린아이들도 우리말 대신 외국 말을 사용하는 것을 흔히 볼 수 있는데, 이러다 보면 언제인가는 사라지는 우리말이 지금보다 더 많아질 것이다.

그리고 어렵고 낯선 외국 말보다 아름다운 우리말이 알기도 쉽고, 우리 정서에도 알맞기 때문이다. '게스트'는 '손님'으로, '브랜드'는 '상표'로, '리얼하다'는 '사실 같다'로, '핸섬하다'는 '멋지다'로 바꾸면 읽기도 쉽고 더 정겹다.

굳이 외국 말을 사용하지 않아도 순수한 우리말로 얼마든지 나타낼 수 있다. ㉢우리의 역사와 전통 안에 살아 있는 우리말을 우리 힘으로 지키고 아름답게 가꾸어 나가야 한다.

(나) ㉣거리를 걷다 보면 외국 말을 많이 볼 수 있다. '타임 스퀘어', '센트럴 파크'와 같은 간판을 만나기도 하고, '서머 페스티벌', '패션 월드' 등의 문구도 심심찮게 볼 수 있다. 그만큼 외국 말이 일상생활 속에 많이 들어와 있다는 것을 실감하게 된다.

우리말에 적절한 낱말이 없어서 받아들인 경우도 있겠지만, 외국 말을 아무 생각 없이 섞어 쓸 때도 많다. ㉤가게를 운영하는 사람이나 거리에 게시물을 붙이는 사람들이 어렵고 낯선 외국 말보다 아름다운 우리말을 살려 쓰면 좋겠다.

왜냐하면, 외국 말로 표현된 문구를 우리말로 충분히 바꾸어 쓸 수 있기 때문이다. '타임 스퀘어'는 '시간 광장'으로, '센트럴 파크'는 '중앙 공원'으로, '서머 페스티벌'은 '여름 축제'로, '패션 월드'는 '옷 세상'으로 바꾸면 부르기도 쉽고 더 정겹다.

1 글 (가)와 (나)는 공통적으로 무엇에 대하여 쓴 글인가요? (　　　)

① 우리말의 세계화

② 아름다운 우리말의 유래

③ 무분별하게 사용되는 외국 말

④ 외국 말이 우리나라에 들어오게 된 과정

2 다음 외국 말을 우리말로 알맞게 바꾼 것을 찾아 선으로 이으세요.

❶ 게스트　　·　　　　　·　㉮ 중앙 광장

❷ 리얼하다　　·　　　　　·　㉯ 손님

❸ 센트럴 파크　　·　　　　　·　㉰ 옷 세상

❹ 패션 월드　　·　　　　　·　㉱ 사실 같다

> **사실과 의견 구분하기** 글에 나오는 객관적인 사실과 그 사실에 대한 글쓴이의 생각이 담긴 의견을 구분할 때, 의견은 '~해야 한다.', '~라고 생각한다.', '~기를 바란다.', '~면 좋겠다.'와 같은 표현을 많이 씁니다.

사실과 의견
구분하기

3 ㉠~㉤을 사실과 의견으로 구분하여 각각 기호를 쓰세요.

❶ 사실	❷ 의견

4 다음 중 글 (가)와 (나)에 나오는 내용으로 알맞지 <u>않은</u> 것은 무엇인가요? (   )

① 외국 말로 표현된 문구는 우리말로 충분히 바꾸어 쓸 수 있다.

② 어렵고 낯선 외국 말보다 아름다운 우리말이 알기도 쉽고, 우리 정서에도 알맞다.

③ 우리말에 적절한 낱말이 없어서 외국 말을 받아들인 경우는 있지만, 외국 말을 아무 생각 없이 섞어 쓰는 경우는 없다.

④ 외국 말을 무분별하게 사용하다 보면 우리말을 사용하는 횟수가 줄어들어 결국 아름다운 우리말이 점점 사라질 수 있다.

5 아름다운 우리말을 가꾸기 위해 우리가 실천할 수 있는 일로 알맞은 것을 골라 ○ 표 하세요.

❶ 외국에서도 우리말만 사용하여 말하기 (   )

❷ 은어나 비속어를 다양하게 사용하여 말하기 (   )

❸ 외국 말을 우리말로 바꾸어 쓰려고 노력하기 (   )

5문제 중   개를 맞혔어요!

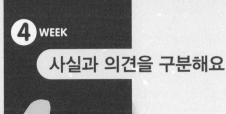

❶ 갯벌은
어떤 일을 할까요?
❷ 원래는 바다였대요

다음 글을 읽으며, 빈칸에 들어갈 알맞은 낱말을 찾아 쓰세요.

| 생태계 | 간척 | 복원 | 확보 |

많은 사람들이 무너진 ☐☐☐ 를 다시 ☐☐ 시키자는 운동에 참여하

생물이 살아가는 세계 　　　　원래대로 회복함.

기 시작했어요. 무리한 ☐☐ 사업으로 갯벌에 사는 여러 생물들이 사라지

육지에 면한 바다나 호수의 일부를 둑으로 막고, 그 안의 물을 빼내어 육지로 만드는 일

면서 자연의 소중함을 깨닫기 시작한 사람들이 늘어난 것이지요. 그러기 위

해서는 먼저 적극적으로 이 운동을 알릴 사람들을 ☐☐ 하는 일이 이루어

확실히 보증하거나 가지고 있음.

져야 했어요.

● 다음 글을 읽고, 물음에 답하세요.

갯벌은 바닷가 생태계의 시작이며, 생물들에게 영양을 공급해 주고, 육지와 바다의 오염을 막아 주는 일을 하지요. 갯벌이 하는 일을 좀 더 자세히 알아볼까요?

갯벌은 정수기 역할을 해요. 강을 따라 흘러온 육지의 오염 물질이 갯벌에서 마지막으로 걸러져요. 갯벌에 사는 미생물이 이 오염 물질을 분해하여 깨끗하게 만들어 주어요. 갯벌이 없어지면 육지 오염 물질이 직접 바다로 흘러들어 바닷물이 썩고 바다 생물들이 살 수 없게 되거든요.

나무가 홍수와 태풍의 피해를 막아 주듯이 갯벌도 해일과 태풍이 주는 피해로부터 육지를 지켜 줘요. 엄청난 태풍의 힘을 갯벌이 약하게 해 주기 때문이에요. 그래서 갯벌이 있는 서해안은 태풍의 피해가 적어요.

그런데 요즈음에는 갯벌이 많이 없어지고 있어요. 간척 사업을 해서 얻은 그 땅에 공장을 짓거나 농경지로 사용하고 있거든요. 그런데 갯벌은 한번 없어지면 복원이 잘 안 된대요. 그리고 갯벌이 주는 이로움이 개발로 얻게 되는 이익보다 훨씬 크다고 해요. 그래서 갯벌을 있는 그대로 보존하여 우리 후손들에게 물려주자고 주장하는 사람들이 많아졌어요. 갯벌은 개발하는 것보다 보존하는 것이 더 중요하고 가치 있는 일이랍니다.

▲ 갯벌

●미생물: 눈으로는 볼 수 없는 아주 작은 생물로 바이러스, 세균 따위가 포함됨.

1 이 글에 나오는 갯벌이 하는 일로 알맞은 것을 두 가지 골라 기호를 쓰세요.

㉮ 바다 생태계가 새롭게 바뀌도록 한다.
㉯ 공장을 짓거나 농경지로 사용할 수 있도록 한다.
㉰ 강을 따라 흘러온 육지의 오염 물질을 걸러 준다.
㉱ 해일과 태풍이 주는 피해로부터 육지를 지켜 준다.

(　　　　)

2 글쓴이가 생각하는 문제 상황은 무엇인가요? (   )

① 갯벌이 점점 오염되고 있다.

② 요즈음에 갯벌이 많이 없어지고 있다.

③ 갯벌에 사는 생물들의 수가 점점 늘어나고 있다.

④ 갯벌이 육지와 바다의 오염을 막아 주지 못하고 있다.

사실과 의견
구분하기

3 이 글에 나타난 글쓴이의 의견은 무엇인지 빈칸에 알맞은 말을 쓰세요.

갯벌은 [   ] 하는 것보다 [   ] 하는 것이 더 중요하고 가치

있는 일이다.

> 글쓴이의 의견을 뒷받침하는 사실 글쓴이는 자신의 의견을 뒷받침하기 위해 객관적인 사실을 근거로 제시할 수 있습니다. 글쓴이가 의견의 타당함을 주장하기 위하여 어떤 사실을 제시하였는지 살펴봅니다.

사실과 의견
구분하기

4 3에서 답한 글쓴이의 의견을 뒷받침하는 내용으로 제시된 사실이 <u>아닌</u> 것은 무엇인가요? (   )

① 갯벌은 한번 없어지면 복원이 잘되지 않는다.

② 갯벌은 해일과 태풍이 주는 피해로부터 육지를 지켜 준다.

③ 갯벌이 주는 이로움이 개발로 얻게 되는 이익보다 훨씬 크다.

④ 외국에서 갯벌을 개발하여 여러 편의 시설과 주거지로 활용한 예가 많다.

● 다음 글을 읽고, 물음에 답하세요.

아빠와 함께 천수만에 다녀왔다. 넓게 펼쳐진 들판을 지나다 보니 가슴이 탁 트이는 듯했다. 평평한 들이 한없이 펼쳐져 있었는데, 이곳에서 우리가 먹는 쌀을 많이 수확한다고 한다.

아빠가 그러시는데 원래 이곳은 바다였다고 한다. 그런데 바다를 둑으로 막았고, 그렇게 생긴 땅을 매립해 농경지로 만들어 농사를 짓게 되었단다. 우리나라는 인구에 비해 국토는 좁은 데다가 산지가 국토의 70퍼센트나 되어 이용 가능한 땅이 아주 좁다. 그렇기 때문에 바다를 막는 간척 사업을 하여 얻은 땅에 인천 국제 공항 같은 넓은 비행장을 만들거나 공장을 지을 수 있게 되면 땅이 좁고 땅값이 비싼 우리나라의 경제 발전에 크게 도움이 된단다.

집으로 오는 버스에서 땅이 좁은 우리나라의 발전을 위해서는 갯벌을 막아 땅을 확보하는 것이 좋겠다는 생각이 들었다.

사실과 의견
구분하기

5 이 글의 내용에서 사실에는 '사', 글쓴이의 의견에는 '의'를 알맞게 쓰세요.

❶ 천수만은 원래 바다였는데 둑으로 막아 생긴 땅을 매립해 농경지로 만들어 농사를 짓게 되었다.

❷ 우리나라는 인구에 비해 국토는 좁은 데다가 산지가 국토의 70퍼센트나 되어 이용 가능한 땅이 아주 좁다.

❸ 바다를 막는 간척 사업을 하여 얻은 땅에 비행장이나 공장을 짓게 되면 우리나라 경제 발전에 크게 도움이 된다.

❹ 땅이 좁은 우리나라의 발전을 위해서는 갯벌을 막아 땅을 확보하는 것이 좋겠다.

오늘 독해는?

5문제 중   개를 맞혔어요!

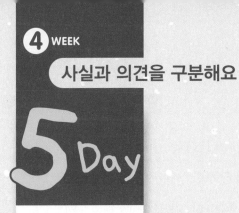

4 WEEK
사실과 의견을 구분해요
5 Day
월   일

생명 되찾은
서울 난지도

다음 글을 읽으며, 빈칸에 들어갈 알맞은 낱말을 찾아 쓰세요.

경계	그윽해	추진	지속적

그는 어디선가 불어오는 바람을 타고 나는 꽃향이 [   ] 자기도 모르
느낌이 은근해

게 눈을 감았어요. 적이 언제 나타날지 모르기 때문에 [   ]를 늦추면 안
뜻밖의 사고가 생기지 않도록 조심하여 단속함.

된다는 것을 알면서도 말이에요. 두 부족의 지도자들끼리 다툼을 끝내자는

대화를 [   ]으로 [   ]해 왔지만 아직은 안심할 때가 아니었지요.
어떤 상태가 오래 계속   목표를 향하여 밀고
되는 또는 그런 것   나아감.

그는 두 부족의 다툼이 끝나고 평화가 올 날을 기도하였어요.

● **다음 글을 읽고, 물음에 답하세요.**

서울 상암동 난지도 노을 공원, 꼬마물떼새 수컷 한 마리가 나타났다. 주위를 경계하던 새는 둥지의 알을 품기 시작했다. 거센 바람과 함께 폭우가 쏟아졌지만 새는 움직이지 않고 알을 품었다. 빗방울이 등을 타고 흘러내렸다. 이번에는 암컷이 나타나 자리를 바꿨다. 그러기를 15일, 마침내 난지도에 세 마리의 새 생명이 탄생했다.

㉠쓰레기 산이 생명의 땅으로 바뀌었음을 보여 주는 장면이다. 여름 철새인 이 새가 난지도로 날아들어 새끼를 키운다는 것은 맑은 물과 먹이인 수변 곤충˚이 풍부하다는 것을 말해 주기 때문이다.

난지도는 원래 난초의 향이 그윽해 난지도라는 이름이 붙여졌으며, 땅콩과 수수를 키우던 곳이었다. 그러나 쓰레기 매립이 시작된 1987년 이후 난지도는 먼지, 악취, 파리의 '삼다도'로 악명을 떨쳤다. 매립이 끝난 이곳은 높이 98m의 거대한 '쓰레기 산'으로 변했다. 모두가 코를 막고 얼굴을 돌리는 버려진 땅이 된 것이다.

무엇이 이 죽음의 땅에 생명을 불어넣었을까?

이정우 교수는 '자연의 위대한 복원력과 인간의 노력이 어우러진 결과'라고 말한다. 서울시는 공원화 사업을 추진하면서 토양 안정화를 위해 쓰레기 위에 흙을 덮었다. 유해 가스 처리를 위한 시설도 만들었다. 또 물을 막는 벽을 설치해 쓰레기에서 흘러나오는 물을 처리했다. 한강 물을 끌어 들여 오염에 찌든 난지천을 씻어 냈다. 땅을 덮기 위해 퍼 온 흙에 풀씨가 묻어 와 꽃을 피웠다. 맑은 물이 흐르자 곤충과 새가 찾아들었다. 수년 동안 사람들의 발길이 끊긴 난지도는 자연의 놀라운 복원력으로 '더러워진 몸'을 스스로 씻어 낸 것이다.

㉡그러나 아직은 갈 길이 멀다. 자연 생태 회복을 위한 지속적인 노력이 계속되어야 하기 때문이다. 내년 봄 꼬마물떼새 새끼들이 다시 그들의 고향인 난지도를 찾아와 새 생명을 탄생하는 모습을 그려 본다.

˚수변 곤충: 바다, 강, 못과 같이 물이 있는 곳의 가장자리에 사는 곤충

1 ㉠은 어떤 일을 표현한 말인지 골라 기호를 쓰세요.

> ㉮ 수년 동안 사람들의 발길이 끊긴 난지도에 많은 사람들이 몰리기 시작한 일
>
> ㉯ 서울시가 공원화 사업을 추진하면서 난지도에 매립한 쓰레기 위에 흙을 덮은 일
>
> ㉰ 쓰레기를 매립했던 난지도에 꼬마물떼새 한 쌍이 나타나 세 마리의 새끼를 낳은 일

(   )

✊ **정보의 사실** 이 글은 난지도가 변화하게 된 과정을 설명하고 있습니다. 과거 난지도에 대하여 설명한 부분에서 객관적인 사실을 찾아볼 수 있습니다.

사실과 의견
구분하기

2 과거 난지도에 대한 사실로 알맞지 <u>않은</u> 것은 무엇인가요? (   )

① 원래 땅콩과 수수를 키우던 곳이었다.

② 사람이 살기 어려운 곳이라는 뜻으로 난지도라는 이름이 붙여졌다.

③ 매립이 끝난 난지도는 높이 98m의 거대한 '쓰레기 산'으로 변했다.

④ 쓰레기 매립이 시작된 1987년 이후 먼지, 악취, 파리의 '삼다도'로 악명을 떨쳤다.

3 난지도가 다음과 같이 바뀐 것은 무엇무엇 덕분인지 글에서 찾아 빈칸에 알맞게 쓰세요.

> 자연의 위대한 [|]   + 인간의 [|]
>
> ➡ 생명의 땅이 된 난지도

4 난지도를 지금과 같은 곳으로 만들기 위해 사람들이 기울인 노력으로 알맞지 <u>않은</u> 것은 무엇인가요? (   )

① 토양 안정화를 위해 쓰레기 위에 흙을 덮었다.

② 한강 물을 끌어 들여 오염에 찌든 난지천을 씻어 냈다.

③ 쓰레기에서 나오는 유해 가스 처리를 위한 시설을 만들었다.

④ 물을 흘려 보내는 관을 설치해 쓰레기에서 흘러나오는 물을 흐르게 두었다.

글쓴이의 의견 정리하기 이 글은 대상에 대한 정보를 주로 알려 주고 글의 마지막 부분에 이러한 사실에 대한 글쓴이의 의견을 마무리 및 정리하였습니다. 글을 읽고 글쓴이가 생각하는 방향이나 바라는 점을 짐작하여 의견을 정리합니다.

사실과 의견 구분하기

5 ⓒ으로 보아 알 수 있는 글쓴이의 의견이 무엇인지 한 문장으로 알맞게 정리하여 말한 친구의 이름을 쓰세요.

> **정민:** 난지도의 환경을 되살렸으니 앞으로는 그곳을 새롭게 개발하여 이익을 만들어 내기를 기대한다는 의견이야.
>
> **유하:** 난지도의 자연 생태 회복을 위해 앞으로도 지속적인 노력을 기울여서 새로운 생명의 땅이 되길 바란다는 의견이야.
>
> **재율:** 자연의 놀라운 복원력으로 더러워진 몸을 스스로 씻어 낸 비결을 찾아내어 다른 분야에도 적용시키길 바란다는 의견이야.

(   )

오늘 독해는?

5문제 중   개를 맞혔어요!

1 사실

실제로 있었던 일이나 지금 현재 있는 일.

2 의견

어떤 대상이나 현상에 대하여 가지는 생각.

사실과 의견

3 사실과 의견 구분하기

글에 제시된 사실을 파악하고 이를 통해 어떤 의견을 전하고 있는지 알 수 있어야 한다.

사실은 변하지 않지만 사실에 대한 의견은 사람마다 다를 수 있으므로
이를 구분하는 것이 중요합니다.

4. 다음은 어느 학생이 [A]를 들으며 메모한 내용이다. ⓐ~ⓔ에서 드러나는 학생의 듣기 과정에 대한 설명으로 적절하지 <u>않은</u> 것은?

〈처마의 기능〉
• 첫 번째 기능: ㅂ
  — 흙과 나무가 물에 녹아기 때문함.

수능에는 글을 읽고 알 수 있는 사실로 적절한 것과 적절하지 않은 것을 구분하는 문제가 나와요.

③ ⓒ로 보아,  알 수 있다.

④ ⓓ로 보아, 제시된 정보를 <u>사실과 의견으로 구분</u>하며 들었음을 알 수 있다.

⑤ ⓔ로 보아, 정보들 사이의 공통점이 무엇인지 비교하여 들어

WEEK 5

주장과 근거를
파악해요

공익 광고에 담긴 주장

공공의 이익을 목적으로 하는 공익 광고에도 광고를 만든 사람의 주장이 담겨 있다는 것, 알고 있나요?
아래의 공익 광고에 나오는 사진과 문구를 통해 어떤 주장이 담겨 있는지 알아보아요.

같은 지식
다른 깊이

우리는 인터넷을 통해 손쉽게 지식을 습득합니다.
꾸준한 독서로 습득하는 지식은 누군가의 경험을 읽고
상상하고 추론하는 과정에서 자신을 보게 됩니다.

성숙한 자아를 찾고, 세상을 보는 깊이가 다른 것
독서만 한 것이 없습니다.

인터넷 검색을 통해 습득한 지식의 얕은 높이와 꾸준한 독서로 습득한 지식의 깊은 높이가 비교되나요? 이 공익 광고에서는 '책을 많이 읽자'는 주장을 기발한 사진과 문구로 전달하고 있네요. 이렇게 **어떤 문제에 대한 자신의 주된 의견을 내세우는 것**을 '주장'이라고 하고, 이를 **뒷받침해 주는 까닭**을 '근거'라고 합니다. 그렇다면 여러 가지 글을 읽고 글에 담긴 글쓴이의 주장과 근거를 함께 파악해 보도록 할까요?

독도는 우리 땅!

다음 글을 읽으며, 빈칸에 들어갈 알맞은 낱말을 찾아 쓰세요.

제정	엄연히	점령	침입

윤아는 사회 시간에 과거 우리나라가 일본의 ☐☐ 으로 영토를 ☐☐

<small>침범하여 들어가거나 들어옴.</small>   <small>어떤 장소를 차지하여 자리를 잡음.</small>

당하고 온갖 핍박 아래 살아온 아픈 역사에 대하여 배웠어요. 일본이 우리나

라를 뺏으려고 한 것은 ☐☐ 도둑질이나 마찬가지라는 생각이 들었어

<small>어떠한 사실이나 현상이 부인할 수 없을 만큼 뚜렷하게</small>

요. 윤아는 앞으로도 전 세계가 다른 나라를 침략하지 못하도록 하는 법이

☐☐ 되면 좋겠다는 생각도 했어요.

<small>제도나 법률 따위를 만들어서 정함.</small>

● 다음 글을 읽고, 물음에 답하세요.

(가) 2005년 3월 16일 일본에서는 '다케시마의 날', 즉 '독도의 날'을 제정하였다. 그리고 여전히 지금까지 '독도'는 엄연히 한국 영토인데 일본은 국제 사회에 독도가 일본 땅이라고 주장해 많은 나라들이 독도를 일본 땅이라고 생각하게 만들고 있다.

일본은 과거 우리나라를 식민지로 만들더니, 이제는 독도까지 자기네 땅이라며 빼앗으려한다. 그러나 독도는 분명 우리 땅이다. 삼국 시대 때 신라 장군 이사부가 울릉도와 독도를 점령했으며, 조선 시대 때에는 공도 정책―섬을 비워 두는 정책―을 실시하면서 독도에 계속 관리를 보내 순찰하게 하였고, 특히 숙종 때 안용복은 두 번에 걸쳐 일본을 찾아가 독도가 한국 영토임을 확인시키고 이를 인정하는 외교 문서까지 받아 냈다.

이렇게 분명한 역사적인 근거가 많은데 독도가 일본 땅이라고 주장하는 것은 말도 안 된다. 독도는 우리 땅이다.

(나) 안용복은 조선의 평범한 어부였다. 어느 날, 그는 울릉도로 고기잡이를 나갔다가 우리나라의 허락을 받지 않고 고기잡이하는 일본 어선을 발견하였다. 그는 일본 어민들에게 울릉도와 독도는 조선의 영토이므로 울릉도와 독도에 침입하는 것은 법에 어긋나는 것이라고 항의하였다.

그러자 일본 어민들은 그를 일본으로 잡아갔다. 일본에서도 안용복은 울릉도와 독도는 조선의 땅이라고 강하게 말하였다. 처음에는 울릉도와 독도가 일본의 땅이라고 주장하던 일본 정부도 안용복의 설득으로 울릉도와 독도가 조선의 땅임을 분명히 밝히는 문서를 써 주었다. 그의 노력은 조선이 울릉도와 독도를 지키는 데 큰 도움이 되었다.

주장과 근거
파악하기

👊 **글을 읽고 주장 찾기** 어떤 문제에 대한 자신의 주된 의견을 내세우는 것을 '주장'이라고 합니다. 이 글에서 글쓴이가 '독도'에 대하여 어떤 의견을 내세우고 있는지 파악해 봅니다.

1 글 (가)에 나타난 주장은 무엇인가요? (　　　)

① 독도는 우리 땅이다.

② 독도를 개방해야 한다.

③ 독도에 대해 세계에 자세히 알려야 한다.

④ 우리나라도 '독도의 날'을 제정하여야 한다.

👊 **주장을 뒷받침하는 근거 찾기** 주장을 뒷받침해 주는 까닭을 '근거'라고 합니다. 글쓴이가 독도에 대한 의견을 뒷받침하기 위해 근거로 제시한 역사적인 사실이 무엇인지 파악해 봅니다.

주장과 근거
파악하기

2 글 (가)에서 주장을 뒷받침하는 근거로 제시한 내용이 <u>아닌</u> 것을 골라 기호를 쓰세요.

> **가** 일본에서 3월 16일을 '다케시마의 날'로 제정함.
> **나** 삼국 시대 때 신라 장군 이사부가 울릉도와 독도를 점령함.
> **다** 조선 시대 때 공도 정책을 실시하면서 독도에 관리를 보내 순찰하게 함.

(　　　　　)

3 글 (나)를 읽고 안용복이 한 일로 알맞은 것에 ○표 하세요.

❶ 일본 정부에 울릉도와 독도가 조선의 땅이라고 주장하여 울릉도와 독도가 조선의 땅임을 밝히는 문서를 받아 냄. (　　)

❷ 울릉도로 고기잡이를 갔다가 그곳에서 고기잡이하는 일본 어민들을 잡아서 우리나라 정부에 데려감. (　　)

4 글 (나)에 대한 설명으로 '주장'과 '근거' 중 빈칸에 들어갈 알맞은 말을 골라 각각 쓰세요.

글 (나)는 역사적 인물인 안용복에 대하여 자세히 설명한 글로, 글 (가)에 제시된 ☐☐ 을 뒷받침하는 ☐☐ 가 된다.

5 글 (가)에서 말하는 주장을 뒷받침하는 근거로 덧붙여 제시할 수 있는 내용을 <u>잘못</u> 말한 친구의 이름을 쓰세요.

재신 : 세종실록지리지에 울릉도와 독도가 강원도 울진현에 속한 두 섬이라고 기록하고 있어.

민주 : 1877년 일본의 메이지 정부는 울릉도와 독도가 일본의 영토가 아니라는 입장을 밝힌 적이 있어.

유진 : 동해를 일본해로 표기한 지도와 함께 독도가 일본 영토인데 한국이 불법으로 빼앗았다는 내용이 일본 교과서에 실려 있어.

(   )

5문제 중   개를 맞혔어요!

시험 보는 도깨비

다음 글을 읽으며, 빈칸에 들어갈 알맞은 낱말을 찾아 쓰세요.

| 과거 | 다스리는 | 정체 | 일쑤 |

☐☐ 시험을 본 몽룡은 합격하여 암행어사가 되었어요. 몽룡은 자신을

우리나라와 중국에서 관리를 뽑을 때 실시하던 시험

기다리는 춘향이를 데리러 돌아왔지만, 마을을 ☐☐☐ 새 사또가 백

국가나 사회, 단체, 집안의 일을 보살펴 관리하고 통제하는

성들을 잘 보살피지 않아 마을 백성들이 원망과 한탄을 늘어놓기 ☐☐였

흔히 또는 으레 그러는 일

지요. 몽룡은 자신의 ☐☐ 를 숨기고 새 사또를 찾아갔어요.

참된 본디의 형체

● 다음 글을 읽고, 물음에 답하세요.

아주 먼 옛날, 도깨비 나라에 과거 시험이 있었습니다. 도깨비 과거 시험 문제는 여러 가지였습니다. 도깨비방망이를 사용하는 방법, 사람들을 무섭게 하는 방법, 도깨비 춤을 추는 방법, 사람들에게 보이지 않게 하는 방법, 사람들을 다스리는 방법 등이 있었습니다.

여러 가지 시험 문제 중에서 사람들을 다스리는 방법은 가장 중요하였습니다. 왜냐하면, 도깨비는 자기의 정체가 드러나지 않게 하면서 사람들을 도와주는 일을 하기 때문입니다. 물론, 말썽을 피우거나 죄를 지은 사람에게는 무섭게 대하기도 하고 벌을 내리기도 합니다.

마지막까지 남은 세 명의 도깨비들은 마지막 시험 문제지를 받아 들고 천천히 펼쳐 보았습니다.

제23546회 도깨비 과거 시험 마지막 문제
부모님의 말씀을 듣지 않는 아이를 변화시킬 수 있는 방법을 제시하시오.

도깨비들은 아이들을 싫어합니다. 할머니, 할아버지는 도깨비 이야기에 귀를 기울이지만, 아이들은 도깨비를 무시하고 잘 놀리며 자기주장만 내세우기 일쑤입니다.

둥근 뿔 도깨비가 말하였습니다.

"정말 내가 가장 싫어하는 문제로군. 아이들을 조용히 시킨다거나 나쁜 아이를 착한 아이로 만드는 방법은 없어." (중략)

도깨비들은 서로 이야기를 나누다가 답을 써 내려가기 시작했습니다. 세 도깨비의 답안지에는 다음과 같은 글이 적혀 있었습니다.

둥근 뿔 도깨비	큰 눈 도깨비	왕발 도깨비
대나무 회초리로 종아리를 때립니다. 매를 맞으면 자신의 행동을 반성하게 될 것입니다.	부모님의 말씀을 잘 듣는 아이에게는 도깨비 나라에서 가장 재미있는 도깨비 놀이동산에 갈 수 있는 기회를 줍니다.	부모님께서 얼마나 고생을 하시는지 알게 합니다. 부모님께서 하시는 일을 직접 보고 똑같이 해 보도록 시킵니다.

1 도깨비 시험 문제 중에서 가장 중요한 것은 무엇이라고 하였나요? (   )

① 사람들을 다스리는 방법

② 사람들을 무섭게 하는 방법

③ 도깨비방망이를 사용하는 방법

④ 사람들에게 보이지 않게 하는 방법

2 도깨비들이 풀어야 하는 마지막 시험 문제의 내용은 무엇인지 빈칸에 알맞은 말을 쓰세요.

| | | |의| | |을 듣지 않는 아이를 변화시킬 수 있는 방법

을 제시하시오.

> 이야기 글에서 주장 찾기 글쓴이의 주장이 담긴 글만이 아니라 이야기 글에서도 인물의 주장을 찾을 수 있습니다. 이 글에 나오는 도깨비들이 마지막 시험 문제에 대하여 어떤 생각을 말하였는지 파악해 봅니다.

주장과 근거
파악하기

3 이 글에서 도깨비들이 제시한 주장으로 알맞지 <u>않은</u> 것은 무엇인가요? (   )

① 대나무 회초리로 종아리를 때린다.

② 부모님께서 얼마나 고생을 하시는지 알게 한다.

③ 도깨비방망이로 착하고 고운 마음을 가진 아이로 변신시킨다.

④ 부모님의 말씀을 잘 듣는 아이에게는 도깨비 나라에서 가장 재미있는 도깨비 놀이동산에 갈 수 있는 기회를 준다.

4 다음은 세 명의 도깨비 중 누구의 주장이 가장 좋다고 생각한 것인지 보기 에서 찾아 (   ) 안에 알맞은 이름을 각각 쓰세요.

> **보기**
>
> 둥근 뿔 도깨비   큰 눈 도깨비   왕발 도깨비

❶ (   )의 주장이 가장 좋아. 왜냐하면, 아이들이 좋아하는 것이 무엇인지 헤아려 주는 것이 가장 필요하기 때문이야.

❷ (   )의 주장이 가장 좋아. 왜냐하면, 잘못한 일이 있으면 벌을 줄 수 있는 강력한 힘을 사용해야 아이들이 잘 따를 것이기 때문이야.

❸ (   )의 주장이 가장 좋아. 왜냐하면, 부모님께서 얼마나 고생하시는지 직접 체험해서 스스로 깨닫게 하는 게 가장 현명하기 때문이야.

5 자신이 이 글에 나오는 시험 보는 도깨비라면 어떤 주장을 쓸지 알맞은 근거를 들어 말한 친구의 이름을 쓰세요.

> **유정 :** 아이들의 잘못된 행동을 카메라로 찍어 아이들에게 직접 보여 주는 거야. 그러면 자신의 잘못된 행동을 보고 스스로 반성하여 고칠 수 있기 때문이야.
>
> **도진 :** 부모님의 말씀을 들을 때까지 그냥 내버려 두는 거야. 시간이 지나서 좀 더 크면 알아서 부모님 말씀을 잘 들을 텐데 굳이 바꿀 필요는 없기 때문이야.

(   )

오늘 독해는?

5문제 중   개를 맞혔어요!

공부를
어려서부터 해야 하나?

다음 글을 읽으며, 빈칸에 들어갈 알맞은 낱말을 찾아 쓰세요.

| 흥미 | 호기심 | 미처 | 단서 |

재호가 학교에 들어서는데 운동장에 경찰차가 와 있었어요. 재호는

☐☐☐ 을 갖고 그곳으로 다가가 보았어요. 밤사이 학교에 도둑이 들어

새롭고 신기한 것을 좋아하거나 모르는 것을 알고 싶어 하는 마음

중요한 물건들을 훔쳐 갔는데 ☐☐ 하나 남기지 않았다고 했어요. 재호와

어떤 문제를 해결하는 방향으로 이끌어 가는 일의 첫 부분

친구들은 이 사건에 ☐☐ 를 느끼고 경찰들이 ☐☐ 보지 못한 것들을

흥을 느끼는 재미   아직 거기까지 미치도록

직접 찾아보기로 했어요.

● 다음 글을 읽고, 물음에 답하세요.

(가) 나는 어려서부터 어려운 공부를 하는 것은 잘못된 일이라고 생각한다. 어려운 공부는 나중에 하고 일단 천천히 기초를 다져야 한다고 생각한다. 요즘 엄마들은 3~4세의 어린아이들에게도 공부를 시킨다. 그러면 안 되는 이유를 세 가지만 들어 보겠다.

첫째, 어린아이들이 일찍부터 공부에 싫증을 내게 된다. 아이들이 아주 어려서부터 '공부는 싫어.'라는 생각을 하게 되기 때문에 커서도 공부를 열심히 하지 않게 된다. 그리고 공부에 대한 흥미를 점점 잃게 된다.

둘째, 취미 생활을 잘 하지 못하게 된다. 어린 시절에도 나름의 즐거움을 느껴야 하는데, 엄마들이 아이들을 꼼짝 못하게 만들기 때문에 아이들은 대부분의 시간을 공부만 해야 한다. 그래서 아이들은 취미 생활, 자유, 즐거움 등을 느끼지 못하게 된다.

셋째, 어린아이들의 마음이 부담스러워진다. 엄마들이 아이에게 큰 기대를 걸고 있으므로 아이는 엄마의 기대가 깨질까 봐 매우 부담이 된다. 아이가 공부를 못하면 엄마가 뭐라고 하며 학원을 더 다니게 할까 봐 마음이 부담스럽다.

이런 이유들로 인해 나는 아주 어려서부터 어려운 공부를 할 필요는 없다고 생각한다. 어려운 공부는 학교에 들어가서 해도 된다.

(나) 많은 전문가들은 한글 떼기를 시작하기 가장 좋은 때를 "아이가 원할 때" 또는 "아이가 준비되었을 때"라고 말한다. 즉, 아이가 충분히 받아들일 수 있을 때까지 기다려야 한다는 것이다. 하지만 ⊙한글을 빨리 떼면 좋은 점도 있다.

우선 세상에 대한 이해의 폭이 넓어지게 된다. 사물의 이름을 읽고, 그 뜻을 알게 되면 그 안에서 또 다른 호기심이 꼬리에 꼬리를 물고 이어진다. 또한 예전에는 미처 보지 못했던 부분까지 보면서 관찰력도 늘어난다. 책을 읽으면서 함께 책과 관련하여 여러 가지 질문을 주고받으면 사고력이 더 키워질 수도 있다. 이러한 방법을 통해 상상력이 또다시 새로운 이야기로 뻗어 나갈 수 있는 단서를 주게 되는 것이다. 그러므로 굳이 모든 아이들이 비슷한 시기에 비슷한 교육을 하는 것보다 필요하면 빠른 교육을 시키는 것이 좋다.

1 글 (가)와 (나)는 어떤 문제에 대하여 서로 다른 주장을 말하였는지 기호를 쓰세요.

> ㉮ 공부나 교육을 어려서부터 일찍 하는 것과 나중에 하는 것 중 어느 것이 더 좋은가
>
> ㉯ 부모님의 도움을 받고 공부하는 것과 혼자 스스로 공부하는 것 중 어느 것이 더 좋은가
>
> ㉰ 여러 가지 분야를 공부하는 것과 관심 있는 한 가지 분야를 공부하는 것 중 어느 것이 더 좋은가

(   )

> 같은 문제에 대한 주장 비교하기 (가)와 (나)는 같은 문제에 대하여 서로 다른 주장을 제시한 글입니다. 이때 각각의 주장을 뒷받침하는 근거를 살피며 어떤 것이 더 좋다고 생각하는지 자신의 생각을 정리해 보도록 합니다.

주장과 근거
파악하기

2 글 (가)와 (나)에 제시된 주장은 무엇인지 선으로 알맞게 이으세요.

❶ 글 (가) •

❷ 글 (나) •

• ㉮ 어릴 때에는 어려운 공부를 시키지 말아야 한다.

• ㉯ 비슷한 시기에 비슷한 교육을 하는 것보다 필요하면 빠른 교육을 시켜야 한다.

주장과 근거
파악하기

3 글 (가)에서 주장을 뒷받침하는 근거로 제시한 내용이 <u>아닌</u> 것은 무엇인가요?

(   )

① 어린아이들이 잘난 척하게 된다.
② 취미 생활을 잘 하지 못하게 된다.
③ 어린아이들의 마음이 부담스러워진다.
④ 어린아이들이 일찍부터 공부에 싫증을 내게 된다.

4 글 (나)에서 ㉠의 내용으로 말하지 <u>않은</u> 것은 무엇인가요? (   )

① 세상에 대한 이해의 폭이 넓어진다.

② 신체적으로 또래에 비해 성장 속도가 빨라진다.

③ 여러 가지 질문을 주고받으면 사고력이 더 키워질 수도 있다.

④ 예전에는 미처 보지 못했던 부분까지 보면서 관찰력도 늘어난다.

5 다음은 글 (가)와 (나) 중 어떤 글과 비슷한 주장이 나타나 있는지 글의 기호를 쓰세요.

> 루소는 아이들의 자발적인 본성에 맞게 교육을 시키는 것의 중요성을 말하였다. 즉 아이들의 본성에 가장 적합한 시기를 기다렸다가 교육을 시켜야 한다는 것이다. 지나친 조기 교육은 스스로 하고자 하는 동기가 줄어들어 학습하고자 하는 의욕이 떨어지고 학습에 대한 부담감에 스트레스가 커질 수 있다.

(   )

오늘 독해는?

5문제 중   개를 맞혔어요!

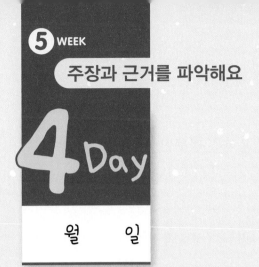

독서의 필요성

다음 글을 읽으며, 빈칸에 들어갈 알맞은 낱말을 찾아 쓰세요.

양식	풍요로워지는	교양	뭉클한

아린이는 클래식 음악회에 자주 가요. 몇몇 사람들은 클래식 음악이

▢▢ 있는 사람들이 듣는 음악이라는 생각을 갖고 있어요. 하지만 아린이
학문, 지식, 사회생활을 바탕으로 이루어지는 품위 또는 문화에 대한 폭넓은 지식

는 음악회에 다녀오면 마음이 ▢▢▢▢▢▢ 것을 느껴요. 어떨 때
흠뻑 많아서 넉넉함이 있는

는 음악에서 가슴 ▢▢▢ 감동을 느끼기도 하지요. 그래서 아린이는 책
감정이 북받치어 가슴이 갑자기 꽉 차는 듯한

뿐만이 아니라 음악도 마음의 ▢▢ 이 될 수 있다는 생각을 해요.
지식이나 물질, 사상 따위의 원천이 되는 것을 비유적으로 이르는 말

● 다음 글을 읽고, 물음에 답하세요.

(가) 독서는 마음의 양식이라고 한다. 건강을 지키기 위하여 음식을 먹듯이, 마음을 살찌우기 위하여 책을 읽어야 한다. 독서를 하는 까닭은 무엇이며, 독서를 하면 마음이 풍요로워지는 이유는 무엇일까?

독서를 하면 지식을 얻고 교양을 쌓을 수 있다. 책에는 새로운 정보와 다양한 지식이 있다. 책을 읽음으로써 폭넓은 지식과 새로운 정보를 얻고, 그 지식과 정보를 바탕으로 하여 올바른 사회인으로 살아갈 수 있는 기본적인 교양을 쌓을 수 있다.

독서를 하면 풍요로운 삶을 가꿀 수 있다. 사람들은 새로운 세계를 경험해 보고 싶어 한다. 그래서 히말라야 정상에 도전하기도 하고, 별이나 달의 세계에 가 보고 싶어서 우주선을 만들기도 한다. 그러나 모든 경험을 직접 해 볼 수는 없다. 독서를 하면 직접 경험하지 못한 세계를 간접적으로 경험하고, 삶을 풍요롭게 가꾸어 나갈 수 있다.

독서를 하면 감동과 재미도 얻을 수 있다. 가슴이 뭉클한 내용을 읽고 감동을 받거나, 재미있는 내용을 읽고 웃기도 하고 즐거워하기도 한다.

또, 독서를 하면 삶의 지혜를 배운다. 책 속의 인물이 한 행동을 통하여 세상을 올바르게 살아가는 태도와 어려운 일을 해결하는 방법을 배울 수 있다.

이처럼 우리는 독서를 하면 지식과 교양을 쌓고, 풍요로운 삶을 가꾸며, 감동과 재미를 얻고, 삶의 지혜를 배울 수 있다. 독서의 즐거움을 경험하고, 즐겨 읽는 태도를 가지도록 노력하자.

(나)

〈독서 능력과 행복감의 관계에 대한 조사〉

■ 행복하지 않다고 느낌.　■ 행복하다고 느낌.

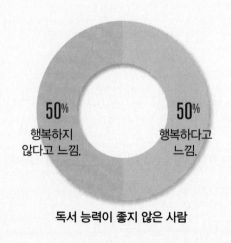

독서 능력이 좋지 않은 사람

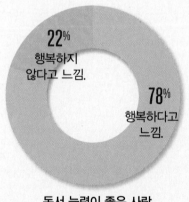

독서 능력이 좋은 사람

〈출처: 영국 국립 독서 재단(National Literacy Trust)〉

주장 파악하기　글쓴이는 이 글을 읽은 사람들이 구체적으로 어떠한 행동을 하기를 바라는지 생각해 봅니다.

주장과 근거
파악하기

1　글 (가)에서 제시한 주장은 무엇인지 골라 기호를 쓰세요.

> ㉮ 독서를 하기 위해 책을 빌려 보는 것보다 직접 사서 읽자.
> ㉯ 독서의 즐거움을 경험하고, 즐겨 읽는 태도를 가지도록 노력하자.
> ㉰ 양적으로 많은 독서보다 천천히 책의 내용을 새기는 독서를 하자.

(　　　　　)

주장과 근거
파악하기

2　글쓴이가 1에서 답한 것과 같은 주장을 말한 까닭으로 알맞지 않은 것은 무엇인가요? (　　　)

① 삶의 지혜를 배운다.
② 건강한 몸을 만들 수 있다.
③ 감동과 재미를 얻을 수 있다.
④ 지식을 얻고 교양을 쌓을 수 있다.

3　(나)에 제시된 자료를 통해 알 수 있는 사실은 무엇인가요? (　　　)

① 독서 능력이 좋을수록 행복감이 높아진다.
② 독서 능력이 좋을수록 행복감이 낮아진다.
③ 사람들은 독서 능력이 필요 없다고 생각한다.
④ 행복하다고 느낄수록 독서보다 바깥 활동을 즐긴다.

4 다음 중 글 (가)의 주장이 적용될 수 있는 경험을 말한 친구의 이름을 쓰세요.

> **수진**: 나는 다른 여러 나라로 여행가고 싶어. 그래서 여러 나라에 대한 책을 읽으면 마치 그 나라에 다녀온 것처럼 생생한 느낌이 들고, 그 나라에 가게 될 내 모습을 상상할 수 있어.
>
> **동호**: 나는 숙제 자료를 찾을 때 책보다는 인터넷에서 검색을 할 때가 많아. 책보다 더 빠르고 쉽게 다양한 정보를 얻을 수 있어서 좋거든. 책은 일일이 내용을 다 찾아봐야 해서 힘든 점이 너무 많아.

(   )

5 (나)와 같이 글 (가)에 제시된 주장을 뒷받침하는 근거가 될 수 있는 자료로 알맞은 것을 두 가지 골라 ○표 하세요.

❶ 독서를 할수록 뇌 기능이 활성화되는 사진 (   )

❷ 독서를 하는 사람이 줄어들고 있다는 설문 조사 결과 (   )

❸ 독서를 많이 한 사람의 대화 능력이 좋다는 연구 결과 (   )

오늘 독해는?

5문제 중   개를 맞혔어요!

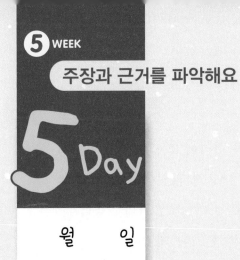

동물 마을의 물 이야기

다음 글을 읽으며, 빈칸에 들어갈 알맞은 낱말을 찾아 쓰세요.

스며들었습니다	위기	극복	차분한

어젯밤 홍수로 마을 대부분의 집에 물이 들어찼습니다. 현주네도 집에 물이

들어와 벽까지 빗물이 ⬚⬚⬚⬚⬚⬚⬚. 현주는 처음 겪는 상황에
          속으로 배어들었습니다

어쩔 줄 몰라 했지만 현주의 부모님께서는 누구보다도 ⬚⬚ 태도로
                                    마음이 가라앉아 조용한

⬚⬚를 ⬚⬚하려고 하셨습니다. 현주는 그런 부모님을 보며 자신이
위험한 고비나   악조건이나 고생
시기   따위를 이겨 냄.
해야 할 일을 찾아 천천히 해 나가기 시작했습니다.

● 다음 글을 읽고, 물음에 답하세요.

동물 마을의 샘에 물이 말라 가고 있습니다. 하늘에는 구름이 가득하였지만 비는 내리지 않았습니다. 마을 뒷산 여기저기에 웅덩이를 파 보았지만, 물은 나오지 않았습니다. 마을의 들판에도 깊은 샘을 파 보았지만, 물은 고이지 않고 금방 땅속으로 스며들었습니다. (중략)

"여러분, 우리 마을의 샘에 물이 말라 가요. 지금 우리 마을은 위기에 빠졌어요. 위기를 극복하지 못하면 우리 마을은 사라지고 말 거예요."

마을에서 가장 나이가 많은 거북 할머니가 걱정스러운 목소리로 말하였습니다. 여기저기에서 한숨 소리가 흘러나왔습니다. (중략)

그때, 토끼가 깡충깡충 뛰면서 큰 소리로 말하였습니다.

"지금이라도 당장 연못을 만들면 되잖아요? 지금 연못을 파면 이듬해에 가뭄을 막을 수 있어요."

들쥐도 거들었습니다.

"맞아요. 땅을 파다 보면 물이 나올 수도 있어요. 그러니까 얼른 괭이와 삽을 들고 들판으로 나가야 해요."

그때 사슴이 차분한 목소리로 다른 동물들을 향하여 말하였습니다.

"연못을 만드는 데에는 많은 시간과 노력이 필요해요. 먼저, 우리가 물을 아끼기 위하여 실천할 수 있는 방법을 생각하여 보고, 우리 마을에서 물을 조금씩 덜 쓰도록 노력하여야 해요."

토끼가 말하였습니다.

"요즈음에는 물이 많이 나오지 않아 넉넉하게 쓰지도 못해요. 오리네 집에서는 물을 받아 놓고 쓰는 것 같은데, 그것도 우리 마을을 위해서라면 좋은 방법이라고 생각해요."

그러자 자라가 좋은 생각이 났다는 듯이 말을 꺼냈습니다.

"이웃 마을에는 커다란 연못이 있는데, 그 마을에서 물을 빌려 오면 안 될까요?"

다른 동물들이 자라의 말에 귀를 기울였습니다.

"그런데 물을 어떻게 빌려 오지요?"

"대나무를 여러 개 이어서 물을 끌어오면 어떨까요?"

다람쥐와 오리 부부가 좋은 생각이라며 찬성하였습니다.

1 동물 마을에 생긴 문제는 무엇인가요? (   )

① 동물 마을에 큰 홍수가 났다.

② 동물들이 이웃 마을로 떠나고 있다.

③ 동물 마을의 샘에 물이 말라 가고 있다.

④ 동물 마을의 동물들끼리 큰 다툼이 일어났다.

주장과 근거
파악하기

2 토끼가 말한 주장은 무엇인지 빈칸에 알맞은 말을 쓰세요.

> 지금이라도 당장 ☐☐ 을 만들자.

✊ **주장에 대한 다른 주장** 여러 주장이 나오는 글을 읽을 때는 어떤 인물이 무슨 주장을 말하는지 파악하고, 그와 반대되는 의견은 없는지 정리해 봅니다.

주장과 근거
파악하기

3 2에서 답한 토끼의 주장에 대한 사슴의 주장은 무엇인지 두 가지 골라 기호를 쓰세요.

> ㉮ 괭이와 삽을 들고 들판으로 나가자.
>
> ㉯ 우리 마을에서 물을 조금씩 덜 쓰도록 노력하자.
>
> ㉰ 물을 아끼기 위하여 실천할 수 있는 방법을 생각해 보자.

(   )

4 이 글에서 다음과 같은 주장을 말한 인물을 글에서 찾아 각각 알맞게 쓰세요.

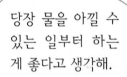

① 오리네 집처럼 물을 받아 놓고 쓰자.

② 이웃 마을의 커다란 연못에 있는 물을 빌려 오자.

(   )   (   )

5 이 글에 나오는 주장에 대해 친구들이 나눈 대화를 읽고, 알맞은 것에 ◯표 하세요.

당장 물을 아낄 수 있는 일부터 하는 게 좋다고 생각해.

연못을 만들어도 다시 또 물이 마르게 될 거야.

이웃 마을에서 물을 빌려주지 않을 수 있어.

서영   예준   설아

① 서영이는 사슴의 주장에 찬성한다.   (   )

② 예준이는 토끼와 들쥐의 주장에 찬성한다.   (   )

③ 설아는 자라의 주장에 찬성한다.   (   )

오늘 독해는?

5문제 중   개를 맞혔어요!

마무리

독해 원리 학습

주장	근거
어떤 문제에 대한 자신의 주된 의견	주장을 뒷받침하는 까닭

주장과 근거

주장과 근거 파악하기

• 어떤 문제에 대한 주장을 말하고 있는지 살펴보기
• 하나의 문제에 대해 주장이 여러 개 제시된 경우, 각각의 주장과 근거를 비교하기

글쓴이나 이야기 속 인물들의 주장을 파악하고
주장을 뒷받침하는 근거가 적절히 연결되었는지 생각해 봅니다.

추가적인 근거를 요구

5. [A], [B]를 이해

① [A]: '영수'는 '민호'에게 추가적인 근거를 요구하기 위해 질문하고 있다.

② [A]: '영수'는 '민호'의 의견을 수용하면서 또 다른 근거를 제시하고 있다.

③ [A]: '영수'는 '민호'의 의견에 고 있다.

또 다른 근거를 제시

④ [B]: '영수'는 '민호'를 추가하고

⑤ [B]: '영수'는 '민호'

상반된 의견을 제시하고 있다.

수능에는 주장에 대한 근거를 어떤 방식과 내용으로 제시하였는지 파악하는 문제가 나와요.

WEEK

6

의견이 적절한지
판단해요

무사히 천국에 들어갈 인물은?

이야기 속 인물들이 천국으로 들어가는 문 앞에서 각자의 의견을 말하고 있어요. 천국에 들어갈 수 있는 조건에 맞는 적절한 의견을 말해야만 저 문이 열릴 텐데요. 누가 과연 무사히 천국에 들어갈 수 있을까요?

심 봉사는 주제와 관련 없는 의견을 말하고, 마녀는 의견을 뒷받침하는 근거를 말하지 못했네요. 아마도 적절한 의견과 근거를 말한 흥부만이 천국에 들어갈 수 있겠죠? 이렇게 자신의 생각을 뜻하는 '의견'의 적절성을 판단하려면, **의견이 주제와 관련이 있는 것인지** 살펴보고, **의견을 뒷받침하는 근거가 타당**한지도 살펴보아야 해요. 자, 그럼 글을 읽고 글에 제시된 의견의 적절성을 여러 가지 방법으로 판단해 보기로 해요.

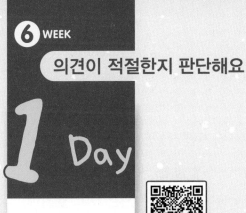

1 Day

월   일

실전 독해 훈련

아파트에서 개를 길러도 되는가

다음 글을 읽으며, 빈칸에 들어갈 알맞은 낱말을 찾아 쓰세요.

위생	내재	소음	분야

며칠 전부터 냉장고에서 큰 ☐☐ 이 나더니 냉장고가 꺼졌다 켜졌다를

<small>불규칙하게 뒤섞여 불쾌하고 시끄러운 소리</small>

반복했어요. 부모님께서는 음식물이 상할 수도 있어 ☐☐ 에도 좋지 않다

<small>건강에 유익하도록 조건을 갖추거나 대책을 세우는 일</small>

며 냉장고를 바꾸기로 하셨어요. 삼촌께서 전자 제품과 관련된 ☐☐ 에서

<small>여러 갈래로 나누어진 범위나 부분</small>

일을 하시는 덕분에 도움을 받아 좋은 냉장고를 살 수 있었어요. 엄마께서는

새 냉장고에 좋은 기능이 ☐☐ 되어 있다며 만족해하셨어요.

<small>어떤 사물이나 범위의 안에 들어 있음.</small>

● 다음 글을 읽고, 물음에 답하세요.

(가) 사람들이 아파트에서 가장 많이 기르는 애완동물이 개다. 하지만 ㉠개는 털이 많이 빠지고, 시끄럽게 짖는다. 특히, 밤에 개 짖는 소리는 주변 사람들에게 많은 피해를 줄 수 있다. 그리고 개를 데리고 다니다가 개가 배설을 하였을 때, 배설물을 치우지 않고 가면 보기에 좋지 않고 위생에도 나쁘다. 어렸을 때 목줄을 하지 않고 달려오는 개를 보고 놀라서 도망치다가 교통사고가 날 뻔한 적도 있었다. 요즘에는 자칫하면 개가 사람을 물어서 사고가 나는 경우도 기사에서 심심치 않게 볼 수 있다. 주인은 괜찮다고 하지만 주변 사람들에게 이러한 위험까지 내재된 개를 아파트에서 키우는 것은 남을 전혀 배려하지 않는 행동이다. 무엇보다 아파트는 많은 사람이 생활하는 공동주택이다. 그런데 이러한 공간에서 개인적인 이유로 개를 키우는 것은 다른 사람을 고려하지 않은 이기적인 태도이다. 이처럼 아파트에서 개를 기르는 것은 많은 사람들에게 불편을 준다. 개를 꼭 기르고 싶다면, 아파트에서가 아니라 단독 주택에서 길러야 한다.

(나) 아파트에서 개를 기르면 안 된다고 말하는 사람이 많다. 그 이유로 개 짖는 소리가 이웃에게 소음이 될 수도 있고, 배설물이나 털이 주변을 지저분하게 만들 수 있다는 점을 든다. 하지만 이런 점은 주인이 주의를 기울여 관리하거나 키우는 개를 교육시키면 충분히 해결될 수 있는 문제이다. 또한 아파트에서 개를 키우는 것은 개인의 자유이다. 다른 사람에게 피해를 주지 않는 조건에서 개를 기르는 것은 개인의 정서적 만족감을 위해서 각자 자유롭게 선택할 문제이다. ㉡개는 심리 치료 분야에서도 마음의 안정을 찾게 해 주는 효과가 있어서 우울증 환자나 외로워하는 사람들에게 가족과도 같은 존재이다. 이렇게 가족과도 같은 존재인 개를 단순히 아파트라고 해서 키울 수 없다는 것은 잘못된 생각이다. 또한 실질적으로 맹인들을 위한 안내견이나 집을 지키는 방범견으로 각자 주어진 역할이 분명하여 도움을 주는 개들도 많다. 그러므로 주변 사람들에게 피해를 주지 않는다면 아파트에서 개를 길러도 좋다고 생각한다.

의견의 적절성 판단하기 한 주제에 대해 서로 다른 의견을 제시한 두 글을 읽고, 각각의 의견과 그 의견의 적절성을 판단해 봅니다. 이때 의견이 주제에 알맞은 의견인지를 생각해 볼 수 있습니다.

의견의 적절성
판단하기

1 다음은 글 (가)와 (나)에 제시된 의견에 대한 설명입니다. (　　　) 안에 들어갈 알맞은 말을 골라 ○표 하세요.

> 아파트에서 개를 기르는 것에 글 (가)는 (찬성, 반대)하는 의견을, 글 (나)는 (찬성, 반대)하는 의견을 썼다. 글 (가)와 (나)는 아파트에서 개를 길러도 되는가에 대한 주제에 (알맞은, 알맞지 않은) 의견을 썼다.

2 ㉠의 내용을 반박하는 내용으로, 글 (나)에서 제시한 근거는 무엇인지 찾아 빈칸에 알맞은 말을 쓰세요.

> 주인이 주의를 기울여 [　　　] 하거나 개를 [　　　] 시키면 된다.

의견을 뒷받침하는 근거의 적절성 의견의 적절성과 함께 근거의 적절성도 살펴보아야 합니다. 글쓴이의 의견과 관련 있는 근거인지, 내용이 사실이고 믿을 만한 것인지를 생각해 봅니다.

의견의 적절성
판단하기

3 글 (가)에 제시된 의견을 뒷받침하는 근거 중 다음과 같이 판단할 수 있는 근거는 무엇인가요? (　　　)

> 이 근거는 아파트에서 개를 키워도 되는지에 대한 의견과의 관련성이 낮고 객관적인 사실이 아니라 개인적인 경험이므로 적절하지 않다.

① 개는 털이 많이 빠지고, 시끄럽게 짖는다.
② 아파트는 많은 사람이 생활하는 공동주택이다.
③ 개의 배설물이 보기에도 좋지 않고 위생에도 나쁘다.
④ 목줄을 하지 않은 개 때문에 교통사고가 날 뻔한 적이 있다.

4 ⓒ에 대한 설명으로 알맞지 <u>않은</u> 것에 ×표 하세요.

❶ 글 (나)의 의견을 뒷받침하는 근거이다. ( )

❷ 글 (나)의 의견과 관련이 없는 내용이다. ( )

❸ 심리 치료 분야에서 개의 효과가 사실인지 확인할 필요가 있다. ( )

5 이 글을 읽고, 자신의 의견을 어떤 근거로 제시할 것인지에 대하여 알맞게 말한 친구의 이름을 쓰세요.

> **송이:** 아파트에서 개를 기르면 안 된다고 생각해. 이 의견에 대한 근거로 이웃집에서 기르는 개 때문에 피해를 본 경험을 묻는 설문 조사를 해서 제시하겠어.
>
> **유빈:** 아파트에서 개를 길러도 된다고 생각해. 이 의견에 대한 근거로 우리 집에서 키우는 개가 얼마나 영특하고 귀여운지를 알리는 내용의 글을 제시하겠어.

( )

오늘 독해는?

5문제 중 　개를 맞혔어요!

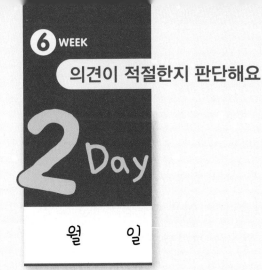

민재네 마을 회의

다음 글을 읽으며, 빈칸에 들어갈 알맞은 낱말을 찾아 쓰세요.

| 운영 | 공평 | 훼손 |

수미네 마을의 상징인 커다란 느티나무가 크게 [   ]되었어요. 며칠 전
헐거나 깨뜨려 못 쓰게 만듦.

도시에서 휴가를 온 젊은 사람들이 느티나무 아래에서 장난을 치며 놀다가

생긴 일이었어요. 마을 전체를 살피고 [   ]하는 이장님 댁에 모인 사람들
어떤 대상을 관리하고 운용하여 나감.

은 이 일을 우리끼리 해결하지 말고 그들에게 책임을 물도록 하는 것이

[   ]하다는 의견을 말했어요.
어느 쪽으로도 치우치지 않고 고름.

● 다음 글을 읽고, 물음에 답하세요.

민재네 마을은 아침부터 온 동네가 소란스러웠습니다. 민재네 마을은 시내와 조금 떨어진 조그마한 시골 마을로, 오십 가구˚ 정도가 모여 서로 사이좋게 살고 있었습니다. 그런데 얼마 전에 마을에 조그마한 공원이 들어서게 된다는 소식이 들려왔습니다. 이웃 어른들께서는 오랫동안 살아온 마을이 변한다는 소식에 다들 귀를 쫑긋 세우고 관심을 보이셨습니다. (중략)

어느덧 저녁이 되었습니다. 여덟 시가 되자, 마을 회의가 시작된다는 이장님의 목소리가 확성기를 타고 온 마을에 울려 퍼졌습니다. 잠시 뒤, 마을 사람들이 모두 모인 것을 확인한 이장님께서 회의를 시작하셨습니다.

"오늘 우리는 마을에 새로 생길 공원의 위치를 결정하고자 이 자리에 모였습니다. 의견이 있으신 분은 손을 들고 의견을 말씀하여 주시기 바랍니다."

먼저 의견을 낸 분은 마을 입구에서 사거리 가게를 운영하고 있는 김씨 아주머니셨습니다.

"공원은 마을 입구에 지어야 해요. 공원이 생겨서 이용하는 사람이 많아지면 아무래도 마을 입구가 복잡해지겠지요. 그러면 우리 가게도 더 많은 사람이 이용할 거예요."

마을 끝에서 나눔식당을 하시는 이씨 아주머니께서도 말씀하셨습니다.

"공원은 저희 집과 가까운 마을 끝 쪽에 지어야 해요. 그러면 우리 어머님께서 아주 기뻐하실 거예요."

그때 민재네 이웃집인 유정이네 삼촌께서 끼어드셨습니다.

"저는 우리 마을에 공원보다 도서관이 생겼으면 좋겠습니다."

이장님께서 유정이네 삼촌의 말을 받아 말씀하셨습니다.

"의견을 말씀하실 때에는 알맞은 까닭을 들어 주시고, 공원의 위치에 관련된 말씀만 해 주세요."

이장님의 말씀이 끝나자, 민재네 아버지께서 말씀하셨습니다.

"저는 마을의 남쪽에 공원을 지어야 한다고 생각합니다. 모두 공평하기 위해서는 마을 가운데에 생기면 좋겠지만 그곳에는 우리 마을의 상징인 오백 년 된 느티나무와 우물이 있어 그것을 훼손할 수는 없을 것 같습니다. 마을 남쪽에는 호수가 있어서 공원과도 잘 어울릴 것이고, 지금 사용하고 있는 마을 회관과도 그렇게 멀지 않아서 적합한 것 같습니다."

˚가구: 현실적으로 주거 및 생계를 같이하는 사람의 집단을 세는 단위

1 이 글에 나오는 인물들이 의견을 나누는 주제는 무엇인가요? (   )

① 마을에 어떤 편의 시설을 지을 것인가
② 마을에 공원을 언제 새로 지을 것인가
③ 마을에 새로 생길 공원을 어떻게 꾸밀 것인가
④ 마을에 새로 생길 공원의 위치를 어디로 정할 것인가

2 이 글에서 다음 인물들이 말한 의견은 무엇인지 빈칸에 알맞은 말을 쓰세요.

❶ 김씨 아주머니: 공원은 ☐☐ ☐☐ 에 지어야 한다.

❷ 이씨 아주머니: 공원은 우리 집과 가까운 ☐☐☐ 쪽에 지어야 한다.

> ✊ **의견과 근거의 적절성 판단하기** 의견과 근거가 주제와 관련이 있는지, 많은 사람이 받아들일 수 있는지를 함께 생각하여 적절성을 판단해야 합니다.

의견의 적절성
판단하기

3 이 글에서 김씨 아주머니와 이씨 아주머니의 의견이 적절하지 않다면, 그 까닭은 무엇인지 바르게 말하지 <u>못한</u> 친구의 이름을 쓰세요.

> **수연**: 두 사람의 의견과 근거가 많은 사람이 받아들일 수 없는 내용이기 때문이야.
> **유준**: 두 사람의 의견은 모두 주제와 관련이 없어서 어울리지 않는 내용이기 때문이야.
> **현보**: 두 사람의 의견에 대한 근거가 개인의 이익만 생각한 내용이라서 의견을 뒷받침하기에는 적절하지 않기 때문이야.

(   )

4 유정이네 삼촌의 의견에 대한 설명으로 알맞은 것을 두 가지 고르세요.

(   )

① 두 가지 의견을 제시하였다.

② 주제와 관련이 없는 의견을 말하였다.

③ 의견에 대한 근거를 알맞게 제시하였다.

④ 마을에 공원보다 도서관이 생겼으면 좋겠다는 의견을 말하였다.

5 이 글에서 가장 적절한 의견을 말한 사람은 누구인지 보기 에서 찾아 ○표 하고, 그렇게 생각한 까닭으로 알맞은 것을 세 가지 골라 기호를 쓰세요.

> 보기
>
> 김씨 아주머니   이씨 아주머니   유정이네 삼촌   민재네 아버지

> ㉮ 주제와 어울리는 의견이다.
>
> ㉯ 의견을 뒷받침하는 근거를 바르게 제시하였다.
>
> ㉰ 근거를 먼저 제시하고 마지막에 의견을 말하였다.
>
> ㉱ 많은 사람이 받아들일 수 있는 의견과 근거를 말하였다.

(   )

오늘 독해는?

5문제 중   개를 맞혔어요!

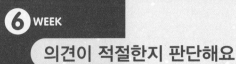

컴퓨터도 생각할 수 있나?

다음 글을 읽으며, 빈칸에 들어갈 알맞은 낱말을 찾아 쓰세요.

| 성능 | 공상 | 논쟁 | 창의적 |

명호는 [   ] 과학 영화를 보고 정말 미래에 영화 속 장면과 같은 일이

현실적이지 못하거나 실현될 가망이 없는 것을 막연히 그리어 봄.

일어날 수 있는지 궁금해졌어요. 영화에 나오는 로봇의 [   ]은 상상 이상

기계 따위가 지닌 성질이나 기능

으로 굉장했거든요. 미래의 로봇이 얼마나 [   ]일 수 있는지 많은 사

창의성을 띠거나 가진. 또는 그런 것

람들에게 [   ]의 대상이 된다고 하지만, 명호는 영화처럼 무엇이든 가능

서로 다른 의견을 가진 사람들이 각각 자기의 주장을 말이나 글로 논하여 다툼.

한 로봇을 볼 수 있을 것 같았어요.

● 다음 글을 읽고, 물음에 답하세요.

노마: 선생님, 컴퓨터가 생각을 할 수 있나요, 없나요?

쉬는 시간에 노마와 나리가 손에 연필과 공책을 들고 선생님 책상 앞에 다가섰다.

노마: 제가 나리한테 '앞으로 컴퓨터가 더 발전하게 되면 언젠가는 사람의 뇌보다 성능이 좋은 로봇이 나올 것이다. 그때가 되면 숙제나 청소는 로봇이 대신해 줄 것이다.'라고 말하였거든요. 그런데 나리는 그런 것은 공상 과학 소설에나 있는 것이지, 실제로는 불가능하대요.

선생님: 나리야, 왜 불가능하다고 생각하니?

나리: 왜냐하면, 컴퓨터는 아무리 발전하더라도 기계일 뿐이므로 생각을 할 수 없기 때문이지요.

선생님께서 곰곰 생각하시는 동안에도 둘은 논쟁을 계속하였다.

노마: 컴퓨터는 계산도 하고 기억도 하잖아. 문제도 해결하고…….

나리: 그래 보았자 사람이 시킨 거지. 어디 컴퓨터가 생각하고 하니?

노마: 선생님, 컴퓨터의 능력이 아직 모자라다는 것은 알아요. 하지만, 갈수록 사람의 뇌를 닮아 가잖아요? 그러니까 사람처럼 생각하는 것은 시간 문제라고 봐요.

나리: 선생님, 만일 누가 우리한테 틀린 일이나 나쁜 일을 시키려고 하면 우리는 "안 돼!" 하잖아요? 그런데 컴퓨터는 못하지요. 그건 바로 컴퓨터가 무엇이 옳은 건지 생각을 못한다는 증거이지요.

노마: 선생님, 우리의 생각 중에는 계산하고 기억하고 문제를 해결하는 능력이 있잖아요? 그런데 컴퓨터도 그와 똑같은 능력을 가지고 있어요. 그래서 저는 생각을 한다고 봐요.

선생님: 맞아, 컴퓨터가 그런 일을 해냈다는 것은 우리 눈으로 목격할 수 있지.

나리: 선생님, 그렇지만 고작 기억이나 계산하는 정도를 생각한다고 하는 것은 틀린 거라고 봐요. 생각한다는 것은 새로운 것을 상상하고 창조하고 또 아름다운 것을 떠올리는 식의 일을 해낼 수 있어야 하잖아요?

선생님: 그렇지. 비판하고 창의적으로 생각하는 것은 아직 컴퓨터에게 기대할 수 없지.

노마: 그렇지만 사람처럼 실수를 하지 않는다는 장점이 있잖아요?

선생님: 그래, 맞다. 또, 복잡한 계산을 순식간에 해내기도 하고…….

나리: 그러나 컴퓨터는 사람처럼 스스로 자기 잘못을 깨달아서 고치고 반성하는 능력은 없잖아요?

선생님: 나리 말도 맞아. 컴퓨터가 사람보다 못할 때도 있지. 얘들아, 이 문제를 해결하려면 먼저 '사람의 생각이란 어떤 것인가?'에 대하여 시간을 두고 더 많이 탐구해 봐야 할 거야.

생각하는 컴퓨터는 과연 가능할까? 선생님은 앞으로 너희가 생각이란 무엇인지 밝혀낼 거라고 믿는다. 왜냐하면 너희가 생각이란 어떤 것인지에 대하여 가장 많이 생각하니까. 안 그러니?

1 노마와 나리는 어떤 주제에 대한 의견을 나누었는지 빈칸에 알맞은 말을 쓰세요.

> 컴퓨터가 [　　] 을 할 수 있는가?

2 다음은 노마와 나리 중 누구의 의견을 뒷받침하는 근거인지 쓰세요.

> 생각 중에는 계산하고 기억하고 문제를 해결하는 능력이 있는데, 컴퓨터도 그와 똑같은 능력을 가지고 있다.

(　　　　　)

3 나리는 '생각한다'는 것에 대하여 어떤 생각을 갖고 있는지 골라 ○표 하세요.

❶ 새로운 것을 창조하고 아름다운 것을 떠올리는 식의 일이다. (　)

❷ 사람이 시킨 일이 무엇인지 파악하고 그대로 행동하는 일이다. (　)

의견의 적절성
판단하기

4 **다음은 노마와 나리의 의견 중 누구의 의견이 적절하다고 판단한 것인지 빈칸에 알맞은 이름을 각각 쓰세요.**

① 나는 [   ] 의 의견이 적절하다고 생각한다. 왜냐하면 컴퓨터는 순식간에 복잡한 계산을 하고, 그런 일을 할 때 사람처럼 실수도 하지 않기 때문이다.

② 나는 [   ] 의 의견이 적절하다고 생각한다. 왜냐하면 컴퓨터는 시키는 것만 하고 스스로 자기 잘못을 깨달아서 고치거나 반성하는 능력은 없기 때문이다.

5 **이 글 마지막에 선생님께서 노마와 나리에게 의견을 나누기 위해 먼저 생각해 볼 주제로 말씀하신 내용은 무엇인가요?** (   )

① 생각이란 어떤 것인가?
② 컴퓨터는 사람에게 이로운 물건인가?
③ 컴퓨터와 사람의 닮은 점은 무엇인가?
④ 컴퓨터 기술은 어디까지 발전할 것인가?

오늘 독해는?

5문제 중   개를 맞혔어요!

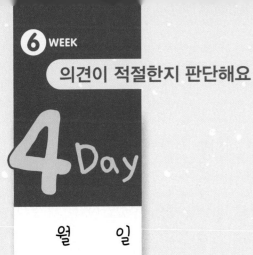

경준이네 반의 학급 회의

다음 글을 읽으며, 빈칸에 들어갈 알맞은 낱말을 찾아 쓰세요.

| 시력 | 배려 | 협동 | 골고루 |

마을에 혼자 사시는 할머니께서 점점 ☐☐ 이 나빠지시더니 결국에는 앞

물체의 존재나 형상을 인식하는 눈의 능력

이 안 보이게 되었어요. 마을 사람들은 할머니를 위해 ☐☐ 하여 도움을

서로 마음과 힘을 하나로 합함.

드리기로 해서 ☐☐☐ 돌아가며 할머니를 위한 음식을 가져다드리거나

두루두루 빼놓지 아니하고

집 청소를 해 드렸어요. 그리고 할머니를 ☐☐ 하는 마음에 나라에서 주는

도와주거나 보살펴 주려고 마음을 씀.

돈이라며 성금을 모아 드렸어요.

● 다음 글을 읽고, 물음에 답하세요.

사회자: 지금부터 우리 반에서 자리를 어떻게 정할지에 대한 회의를 시작하겠습니다. 의견이 있는 분은 발표하여 주십시오. 네, 김경준 학생 발표하여 주십시오.

김경준: 저는 키순으로 자리를 정하고, 한 달에 한 번씩 자리를 바꾸는 것이 좋겠습니다. 키가 큰 사람이 뒤에 앉고, 작은 사람이 앞에 앉으면 공부 시간에 선생님을 잘 볼 수 있습니다. 그리고 앞사람 때문에 칠판 글씨가 안 보이는 일도 없습니다. 그런데 키순으로 앉으면 시력이 나쁜 친구들이 뒤에 앉게 되는 경우도 있고, 키가 작은 학생은 항상 앞에만 앉아야 하는 문제도 있습니다. 그래서 키 순서대로 자리를 정하되, 한 달에 한 번 정도 자리를 바꾸어서, 한 사람이 같은 자리에 계속 앉지 않도록 해 주면 좋겠습니다. 눈이 나쁜 친구들도 배려를 해서 앞으로 옮겨 주면 됩니다. 키 순서대로 앉고 한 달에 한 번씩 자리를 바꾸면 여러 친구와 짝을 할 수 있어서 친구도 많이 사귈 수 있습니다.

사회자: 다른 의견 있는 분은 발표하여 주십시오.

강수빈: 저는 좋아하는 친구끼리 자유롭게 자리를 정하여 앉으면 좋겠습니다. 좋아하는 친구끼리 자리를 정하면 여러 가지 좋은 점이 있습니다. 우선 짝끼리 협동이 잘되어 공부 시간이 즐거워집니다. 그리고 마음이 잘 맞아서 싸우는 일도 없어집니다. 좋아하는 사람끼리 짝을 정하고 모둠을 만들어 앉으면 모두가 즐거운 학급이 될 것입니다.

박승현: 저는 학급 번호 순서대로 자리를 앉으면 좋겠습니다. 번호 순서대로 자리를 정하여 앉고, 일주일에 한 번씩 한 줄씩 자리를 옮겨 앉으면 좋겠습니다. 그러면 친한 친구끼리만 앉지 않고, 여러 친구들과 함께 골고루 짝을 할 수 있어서 좋습니다. 친한 친구와 장난을 치지 않아 수업 분위기도 좋아질 것입니다.

김지연: 저는 아침에 일찍 오는 순으로 자리를 정하여 앉으면 좋겠습니다. 일찍 오는 사람이 앉고 싶은 자리에 앉는다면 아침에 지각하는 사람도 없어지고, 부지런하게 학교생활을 할 수 있을 겁니다. 자기가 좋아하는 자리에 앉을 수도 있어서 공부를 즐겁게 할 수도 있습니다.

1 경준이네 반 학급 회의의 주제는 무엇인가요? (　　　)

① 소풍을 어디로 갈까?

② 자리를 어떻게 정할까?

③ 청소 당번을 어떻게 정할까?

④ 교실 게시판을 어떻게 꾸밀까?

2 다음은 어떤 의견을 뒷받침하는 근거인지 골라 ○표 하세요.

> • 공부 시간에 선생님을 잘 볼 수 있다.
> • 앞사람 때문에 칠판 글씨가 안 보이는 일이 없다.
> • 여러 친구와 짝을 할 수 있어서 친구를 많이 사귈 수 있다.

❶ 좋아하는 친구끼리 자유롭게 자리를 정하여 앉자. (　　　)

❷ 키순으로 자리를 정하고, 한 달에 한 번씩 자리를 바꾸자. (　　　)

> 🤛 **회의에서 의견의 적절성 판단하기**　친구들끼리 의견을 나누는 회의에서는 다양한 의견이 제시될 수 있습니다. 회의 주제로 제시된 문제를 해결하기에 가장 적절한 의견이 무엇인지 판단해 봅니다.

의견의 적절성
판단하기

3 수빈이의 의견이 적절한지 알맞게 판단한 친구의 이름을 쓰세요.

> **유민:** 수빈이의 의견을 뒷받침하는 근거로 좋아하는 친구끼리 자리를 정하면 여러 가지 좋은 점이 있다는 근거는 의견과 관련이 없어서 적절하지 않아.
>
> **영인:** 좋아하는 친구를 고르는 것이 어려운 친구가 있을 수도 있고, 친한 친구끼리 앉다 보면 장난을 치느라 수업 분위기도 나빠질 수 있어서 적절하지 않은 의견이야.

(　　　　　　)

4 승현이의 의견과 근거를 정리하여 빈칸에 알맞은 말을 쓰세요.

❶ 의견	☐☐ ☐☐ 순서대로 자리를 정하여 앉고, 일주일에 한 번씩 한 줄씩 자리를 옮겨 앉자.
❷ 근거	• 여러 친구들과 함께 골고루 짝을 할 수 있다. • 친한 친구와 장난을 치지 않아 수업 ☐☐ 가 좋아진다.

의견의 적절성 판단하기

5 지연이의 의견이 적절한지 판단하기 위하여 생각한 내용으로 알맞은 것에 ○표 하세요.

❶ '아침에 일찍 오는 순으로 자리를 정하면 모두 일찍 오려고 경쟁을 하게 되고, 그러다 보면 잠이 부족해져 나중에 수업 시간에 영향을 줄 수 있지 않을까?'   (   )

❷ '아침에 일찍 오는 순으로 자리를 정하다 보면 자리가 바뀌지 않은 상태로 너무 오래 앉게 되어 지겹거나 멀리 앉은 친구들과는 친해지지 못하게 되지 않을까?'   (   )

오늘 독해는?

5문제 중   개를 맞혔어요!

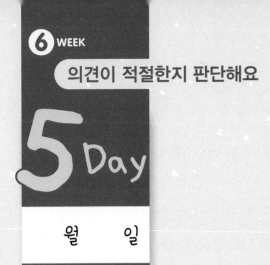

행복한 학급을 만들자

다음 글을 읽으며, 빈칸에 들어갈 알맞은 낱말을 찾아 쓰세요.

틀림없이	욕설	생활화	과목

주하는 버스에서 중학생 오빠들이 나누는 대화를 듣고 깜짝 놀랐어요.

[___]은 물론 비속어나 유행어가 [___]된 것처럼 술술 나왔기 때문
남의 인격을 무시하는 모욕적인 말   생활 습관이 되거나 실생활에 옮겨짐. 또는 그렇게 함.

이에요. 주하는 며칠 전 국어 [___] 시간에 아름다운 우리말에 대해 배웠
가르치거나 배워야 할 지식 및 경험의 체계를 세분하여 계통을 세운 영역

어요. 우리말은 [___] 세계에서도 인정받는 언어인데, 사람들이 우
조금도 어긋나는 일이 없이

리말을 자랑스러운 마음으로 잘 쓰지 않는 것 같아 아쉬웠어요.

● 다음 글을 읽고, 물음에 답하세요.

예선이의 의견 행복은 어느 한 사람만의 것이 아니라 우리 모두의 것이어야 합니다. 모두가 행복한 반을 만들기 위하여 서로 힘든 일을 도와주며 봉사하는 마음을 가져야 합니다.

우리 반 친구들은 모두 공부는 열심히 하지만 어려운 친구를 잘 도와주지는 않는 것 같습니다. 친구가 넘어져서 아파하는데 재미있다고 웃는 친구, 친구가 힘든 일을 혼자 하고 있는데 나 몰라라 하는 친구를 많이 보았습니다.

우리가 모두 행복해지기 위하여 힘들어하는 친구, 어려움을 겪는 친구, 아픈 친구를 도와주어야 합니다. 내가 어려운 친구를 도와주면 다음에 내가 힘든 일을 당하였을 때에 친구들도 나를 도와줄 것입니다. 그렇게 서로서로 도와주는 마음이 있으면 우리 반은 틀림없이 행복한 반이 될 것입니다.

창수의 의견 우리 반 친구 가운데 욕설이나 나쁜 말을 하는 사람이 있습니다. 저는 바른 말, 고운 말을 쓰면 행복한 우리 반을 만들 수 있다고 생각합니다. ㉠왜냐하면 말이 바르면 그 사람의 행동이 고와지므로 바른 말, 고운 말을 사용하면 서로 배려하는 마음이 생기기 때문입니다.

오늘부터 친구에게 바른 말, 고운 말 쓰기를 실천합시다. 아침에 친구를 만나면 반갑게 인사하고, 선생님께 공손하게 인사합니다. 하루에 한 가지씩 고운 말을 사용하여 친구에게 인사하는 습관을 들입시다. ㉡복도나 계단에서 뛰어다니면 넘어져서 크게 다칠 수 있습니다. 특히, 계단에서 장난을 치다가 넘어지면 자신뿐만 아니라 다른 사람에게도 큰 피해를 줄 수 있습니다.

이처럼 우리 반 친구의 행복을 위하여 바른 말, 고운 말 쓰기를 생활화합시다.

지영이의 의견 행복한 것은 즐거운 일입니다. 우리가 즐겁게 생활하기 위해서는 학교에서 우리가 좋아하는 일을 많이 할 수 있어야 합니다. 그런데 지금 우리의 학교생활은 즐겁지만은 않습니다. 왜냐하면 공부하는 과목도 많고, 힘들게 해야 하는 일도 많기 때문입니다.

우리가 행복한 교실을 만들기 위해서는 먼저 숙제를 없애야 합니다. 숙제를 하는 시간 때문에 놀 수가 없어서 우리는 불행해지고 있습니다.

그리고 수업 시간을 줄이고 쉬는 시간을 더 늘려야 합니다. 지금은 40분을 공부하고 10분을 쉽니다. 쉬는 시간이 너무 짧아서 친구와 즐겁게 이야기할 시간도 모자랍니다. 그래서 20분 정도 공부하고 30분 정도 쉰다면 행복한 우리 반이 될 것입니다. 즐겁고 행복한 우리 반을 만들기 위하여 우리 함께 노력하여 봅시다.

1 이 글에서 친구들은 무엇에 대한 의견을 말하였는지 골라 ○표 하세요.

① 행복한 학급을 만들기 위하여 우리가 할 일 ( )

② 수업을 효과적으로 듣기 위하여 우리가 할 일 ( )

2 이 글에서 친구들이 말한 의견은 무엇인지 선으로 알맞게 이으세요.

① 예선 •

• **가** 바른 말, 고운 말을 사용해야 한다.

② 창수 •

• **나** 서로 힘든 일을 도와주며 봉사하는 마음을 가져야 한다.

③ 지영 •

• **다** 숙제를 없애고, 수업 시간을 줄이는 대신 쉬는 시간을 늘려야 한다.

근거의 적절성 판단하기 창수의 의견이 무엇인지를 먼저 파악한 뒤, ㉠과 ㉡이 그 의견을 설득력 있도록 뒷받침해 주고 있는지 확인합니다.

의견의 적절성
판단하기

3 ㉠과 ㉡ 중 창수의 의견을 뒷받침하는 근거로 적절하지 <u>않은</u> 것과 그 까닭을 바르게 설명한 친구의 이름을 쓰세요.

> **선아:** ㉠은 바른 말, 고운 말을 사용하여 서로 배려하는 마음을 가지는 일이 실천하기 어렵기 때문에 의견을 뒷받침하기에는 적절하지 않은 근거야.
>
> **도균:** ㉡은 복도나 계단에서 뛰어다니면 넘어져 크게 다치거나 다른 사람에게도 피해를 줄 수 있다는 내용이 창수의 의견과 관련이 없는 내용이라 서로 알맞게 연결되지가 않아서 적절하지 않은 근거야.

( )

4 지영이의 의견과 근거의 적절성을 판단하는 말로 알맞은 것은 무엇인가요? (　　　)

① 실천할 가치가 가장 높은 의견을 말하였다.

② 실제로 실천하기가 어려운 의견을 말하였다.

③ 의견과 전혀 관련이 없는 내용을 근거로 말하였다.

④ 다른 친구들이 말하는 의견과 전혀 관련 없는 주제에 대한 의견을 말하였다.

> **가장 적절한 의견 찾기** 각각의 의견과 근거를 비교한 후에 의견과 근거의 적절성을 판단하는 기준에 따라 가장 적절한 의견을 찾을 수 있어야 합니다.

5 다음은 이 글에서 가장 적절한 의견을 말한 친구를 찾아 그 까닭을 말한 것입니다. 빈칸에 들어갈 알맞은 말을 쓰세요.

> 이 글에서 가장 적절한 의견을 말한 친구는 [　　] 이다. 왜냐하면 의견이 [　　] 와 관련 있고, 의견과 그것을 뒷받침해 주는 [　　] 가 서로 알맞게 연결되어 있으며, [　　] 할 수 있으며 가치가 있는 의견을 말하였기 때문이다.

오늘 독해는?

5문제 중　　　개를 맞혔어요!

의견의
적절성
판단하기

의견이 적절한지 판단하는 방법

– 주제 또는 문제 상황에 알맞은 의견인지 생각하기
– 실천할 수 있는 의견인지 판단하기
– 실천할 가치가 있는 중요한 의견인지 판단하기
– 많은 사람이 받아들일 수 있는 의견인지 판단하기

의견을 뒷받침하는 근거의 적절성

– 뒷받침하는 내용이 사실이고, 믿을 만한지 확인하기
㉔ 관련 있는 책, 믿을 만한 누리집, 전문가에게 묻기
   등과 같은 방법을 통해 얻은 근거(설문 조사, 객관
   적 사실, 연구 자료, 분석 결과 등)

의견이 적절한지 판단하며 읽으면,
글을 논리적으로 이해하는 힘을 기를 수 있습니다.

15. ㉢에 유의하여 [가]의 판단을 검토할 때, 고려할 내용으로 적절
    하지 <u>않은</u> 것은?

① 학생들의 ￼ 판단을 검토 ￼ 발생하지는 않는가.
② 학생들이 함￼￼￼￼￼￼ 좋아하는 음식은 무엇
   인가.
③ 학생들이 함께 먹은 음식 가운데 잊어버리고 기록하지 않은
   음식이 있지는 않은가.
④ 학생들이 먹￼ ￼￼￼￼￼￼￼￼￼￼￼￼
   담은 그릇에 ￼

> 수능에는 자료를 바탕으로 글의 내용이 적절한지 비판적으로 평가하는 문제가 나와요.

⑤ 다른 음식을 먹고 장염에 걸렸지만 그 사실을 선생님께 말씀
   드리지 않은 학생들이 있지는 않은가.

WEEK **7**

글의 종류에 맞게
내용을 간추려요

영화를 보고 난 후

재희와 세주가 함께 영화를 보고 와서 선생님과 대화를 나누고 있네요. 그런데 같은 영화를 본 두 친구가 말하는 내용은 다르네요. 이때 각자 말하는 내용에 맞게 다른 방법으로 내용을 간추려야 선생님께서 더 잘 이해하실 수 있겠죠?

재희는 영화를 보러 가기까지의 과정, 세주는 영화 내용에 대하여 서로 다른 방법으로 간추려 말하였어요. 이렇게 두 친구가 간추려 말한 것처럼 글을 읽고도 내용을 간추릴 수 있어요. 이때 설명하는 글, 주장하는 글, 이야기 글 등 다양한 **글의 종류에 맞는 방법**을 써서 **내용을 간추릴 수 있어야** 합니다.

낱말의 세계

다음 글을 읽으며, 빈칸에 들어갈 알맞은 낱말을 찾아 쓰세요.

산골짜기	산울림	포함

재현이는 '아빠와 함께하는 등산'이라는 프로그램에 참여하였어요. 재현이와

아빠를 [   ]해서 모두 다섯 팀이 함께 산에 올랐어요. 산 정상에 다다르

어떤 사물이나 현상 가운데 함께 들어 있거나 함께 넣음.

자 아래로 내려다보이는 경치에 가슴이 탁 트였어요. 재현이가 "야호!"라고 크

게 외치자 재현이의 목소리가 [   ]이 되어 번졌어요. 마치 맞은편

울려 퍼져 가던 소리가 산이나 절벽 같은 데에 부딪쳐 되울려오는 소리

[   ]에서 누군가가 외치는 것 같았지요.

산과 산 사이의 움푹 들어간 곳

● **다음 글을 읽고, 물음에 답하세요.**

안녕하십니까?

지금부터 낱말 사이의 여러 가지 관계에 대하여 조사한 것을 발표하겠습니다.

먼저, 낱말 사이의 여러 가지 관계를 조사하게 된 까닭을 말씀드리겠습니다. 며칠 전, 저는 십자말풀이를 하다가 낱말 사이에는 어떤 관계가 있다는 것을 알게 되었습니다. (중략)

첫째, 뜻이 서로 비슷한 낱말들을 찾아보았습니다.

- 맞은편 산골짜기에서 산울림이 들려왔습니다.
- 맞은편 산골짜기에서 메아리가 들려왔습니다.

'산울림'과 '메아리'는 서로 바꾸어 써도 문장의 뜻이 거의 달라지지 않습니다. 이와 같이 뜻이 서로 비슷한 낱말들은 매우 많았습니다.

- 책방 / 서점   · 여자 / 여성 / 여인

둘째, 뜻이 서로 반대되는 낱말들을 찾아보았습니다.

- 나는 손이 크다. 그러나 발은 작다.

'크다', '작다'처럼 뜻이 서로 반대되는 낱말이 있습니다. 어떤 낱말과 뜻이 서로 반대되는 낱말을 찾으려면, 방향, 성질, 위치 등이 서로 반대 관계에 있는 낱말을 생각하면 됩니다. 예를 들면 '남 / 북', '좋다 / 싫다', '위 / 아래' 같은 낱말입니다. 이런 관계에 있는 낱말들을 찾아보니 매우 많았습니다.

- 동 / 서   · 길다 / 짧다   · 오른쪽 / 왼쪽

셋째, 다른 낱말의 뜻을 포함하거나 다른 낱말의 뜻에 포함되는 낱말들을 찾아보았습니다.

- 어머니께서는 꽃을 좋아하신다.
- 어머니께서는 장미꽃, 개나리꽃, 진달래꽃을 좋아하신다.

'꽃'이라는 낱말은 '장미꽃', '개나리꽃', '진달래꽃'이라는 낱말을 모두 포함합니다. 그리고 '장미꽃', '개나리꽃', '진달래꽃'이라는 낱말은 '꽃'이라는 낱말에 포함됩니다.

1 다음은 발표를 들을 때에 생각한 내용을 말한 것입니다. 아는 내용이나 경험을 떠올려 말한 친구의 이름을 쓰세요.

> **도진**: 낱말들 사이의 관계에 대해 몰랐던 내용을 적으면서 들어야지.
>
> **영준**: 뜻이 비슷하거나 반대되는 낱말의 예가 무엇인지 찾으면서 들어야지.
>
> **다인**: 국어사전에서 낱말을 찾으면 비슷한 낱말이 무엇인지 나온 것을 보고 낱말 사이의 관계를 알았던 적이 있어.

(   )

2 말하는 이가 십자말풀이를 하다가 알게 된 것은 무엇인가요? (   )

① 낱말 사이에 어떤 관계가 있다는 것

② 여러 가지 뜻이 담겨 있는 낱말이 있다는 것

③ 낱말의 수는 헤아릴 수 없을 정도로 많다는 것

④ 낱말의 뜻을 알려면 국어사전을 찾아보아야 한다는 것

3 뜻이 서로 비슷한 낱말과 반대되는 낱말을 찾는 방법은 무엇인지 빈칸에 알맞은 말을 쓰세요.

❶ **뜻이 서로 비슷한 낱말**: 서로 바꾸어 써도 문장의 ☐ 이 거의 달라지지 않는 낱말을 찾는다.

❷ **뜻이 서로 반대되는 낱말**: 방향, ☐☐, 위치 등이 서로 반대 관계에 있는 낱말을 찾는다.

들은 내용 간추리기 들은 내용을 간추릴 때에는 중요한 내용 위주로 짧게 씁니다. 나뭇가지 모양으로 정리하거나 도형을 그려 정리하는 방법 등이 있습니다.

글의 종류에 맞게
내용 간추리기

4 다음은 발표를 듣고 내용을 간추린 것입니다. 빈칸에 알맞은 말을 쓰세요.

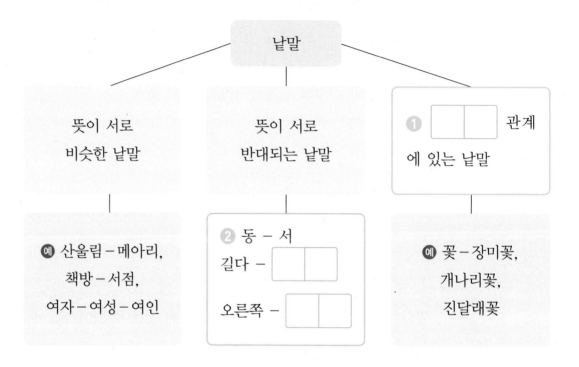

낱말

뜻이 서로
비슷한 낱말

예 산울림 – 메아리,
책방 – 서점,
여자 – 여성 – 여인

뜻이 서로
반대되는 낱말

❷ 동 – 서
길다 – [ ]
오른쪽 – [ ]

❶ [ ] 관계
에 있는 낱말

예 꽃 – 장미꽃,
개나리꽃,
진달래꽃

5 다음 낱말들은 어떤 관계에 해당하는지 찾아 선으로 알맞게 이으세요.

❶ 계절 – 겨울 •

❷ 노고 – 수고 •

❸ 위 – 아래 •

• ㉮ 뜻이 서로 비슷한 낱말

• ㉯ 뜻이 서로 반대되는 낱말

• ㉰ 뜻이 포함 관계에 있는 낱말

오늘 독해는?

5문제 중   개를 맞혔어요!

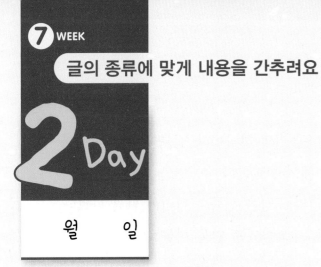

연날리기

다음 글을 읽으며, 빈칸에 들어갈 알맞은 낱말을 찾아 쓰세요.

정초	어수선한	억세게	개어서

우리 집은 해마다 ☐☐ 에 집안 어른들께 세배를 해요. 식구가 많아
<small>정월의 초승 또는 그해의 맨 처음</small>

☐☐☐☐ 분위기가 될 때가 있어도 세배는 꼭 빼먹지 않지요. 그러고
<small>마음이나 분위기가 안정되지 못하여 불안하고 산란한</small>

나서 아이들은 함께 어울려 재미있는 놀이를 해요. 올해는 다 함께 연날리기

를 했어요. 아빠는 연줄이 ☐☐ 되어 끊기지 않고 높이 잘 날아갈 수
<small>생선의 뼈나 식물의 줄기 · 잎, 풀 먹인 천 따위가 아주 딱딱하고 뻣뻣하게</small>

있게 유리를 빻아 풀에 ☐☐ 연줄이 되는 실에 발라 주셨어요.
<small>가루나 덩이진 것에 물이나 기름 따위를 쳐서 서로 섞이거나 풀어지도록 으깨거나 이겨서</small>

● 다음 글을 읽고, 물음에 답하세요.

㉠연날리기는 정초에 전국에서 즐겨 행해지는 민속놀이의 하나이다. ㉡연은 종이에다가 대쪽을 가로, 세로, 또는 모로 엇맞추어 붙이고 실을 매어서 만든다. 이 연을 공중에 띄워 올리는 것을 연날리기라고 한다. 연날리기에 사용되는 연의 모양은 민족과 나라에 따라 다르다.

연은 주로 정월 초하루부터 대보름까지 날리는데, 대보름에는 연을 하늘로 멀리 날려 보낸다. ㉢이는 나쁜 것을 보내고 복을 맞아들인다는 뜻에서이다. ㉣그러므로 연날리기는 오락성과 더불어 종교적인 뜻을 지닌 민속놀이라고 할 수 있다.

연과 관련된 기록을 살펴보면 여러 가지 이야기를 찾을 수 있다. 신라의 김유신 장군이 밤에 불을 매단 연을 하늘로 올려 어수선한 민심을 바로잡았다는 이야기가 있다. 또, 고려의 최영 장군은 제주도를 정벌할 때 연을 이용하여 성을 공격하였다고 한다. 이러한 사실들로 보아, 아주 오랜 옛날부터 여러 가지 목적으로 연을 띄웠다는 것을 알 수 있다.

연의 종류는 연에 붙이는 색종이나 연의 바탕에 칠하는 색깔 등에 따라 다양하다. 이를테면, 연의 이마 가운데에 반달 모양의 색종이를 붙인 것을 반달연이라고 하고, 둥근 달 모양의 색종이를 붙인 것을 꼭지연이라고 한다. 또, 연의 머리나 허리에 색종이를 붙이거나 색깔을 칠하여 둥인 것을 동이연이라고 한다. 그리고 연의 윗부분은 희고 밑부분은 색깔이 다양한 것을 치마연이라고 하는데, 그 색깔에 따라 먹치마연, 청치마연, 홍치마연, 보라치마연 등이 있다.

연을 만드는 데에는 대와 종이가 필요하다. 방패연의 경우, 종이를 가로와 세로의 비율이 2대 3이 되도록 직사각형으로 자른 다음, 그 종이를 접어서 한가운데에 연 길이의 3분의 1 정도의 지름으로 둥근 구멍을 낸다. 이 구멍을 '방구멍'이라고 한다. 방구멍을 중심으로 가늘고 길게 깎아 다듬은 실을 종이에 붙인다. 머릿살과 허릿살은 가로로 붙이고, 기둥살은 세로로 붙이며, 귓살은 좌우 머리에 엇맞추어 붙인다. 그리고 벌이줄을 매어 균형을 잡는다.

▲ 방패연

연줄에는 부레뜸이나 풀뜸을 한다. 이는 연줄에 부레를 끓인 물이나 풀을 먹이는 것이다. 이렇게 하면 연줄을 빳빳하고 억세게 할 수 있다. 또, 부레뜸이나 풀뜸을 할 때에 사금파리나 유리를 빻은 가루 등을 풀에 개어서 실에 올리기도 하는데, 이를 '개미 먹인다'라고 한다. 이렇게 개미를 먹인 연줄은 연싸움할 때에 매우 유리하다.

1 이 글을 읽고 알 수 있는 내용으로 알맞지 <u>않은</u> 것은 무엇인가요? (　　　)

① 연을 만드는 방법

② 연의 여러 가지 종류

③ 연과 관련된 역사적인 기록

④ 연날리기와 비슷한 민속놀이

문단의 중심 문장 찾기 글의 내용을 간추리려면 먼저 문단의 중심 문장을 찾아야 합니다. 각 문단 별로 연날리기에 대하여 어떤 내용을 주되게 알려 주고 있는지를 찾아봅니다.

글의 종류에 맞게
내용 간추리기

2 ㉠~㉣ 중 1문단과 2문단의 중심 문장을 찾아 각각 기호를 쓰세요.

❶ 1문단	❷ 2문단

---

3 이 글에 나오는 연과 관련된 여러 가지 이야기로 알맞은 것을 두 가지 골라 ○표 하세요.

❶ 　고려의 최영 장군이 제주도를 정벌할 때 연을 이용하여 성을 공격한 이야기 (　　　)

❷ 　신라의 김유신 장군이 밤에 불을 매단 연을 하늘로 올려 어수선한 민심을 바로잡았다는 이야기 (　　　)

❸ 　경남 충무에서 이순신 장군을 기리기 위해 정월 대보름 때 전국 연날리기 대회가 개최된다는 이야기 (　　　)

4 연의 종류나 만드는 방법에 대한 내용으로 알맞지 <u>않은</u> 것은 무엇인가요? (　　　)

① 치마연은 색깔에 따라 먹치마연, 청치마연, 홍치마연, 보라치마연 등이 있다.

② 연의 머리나 허리에 색종이를 붙이거나 색깔을 칠하여 동인 것을 동이연이라고 한다.

③ 방패연을 만들 때 종이 한가운데에 연 길이의 3분의 1 정도의 지름으로 낸 구멍을 '방구멍'이라고 한다.

④ 연줄에 부레풀이나 풀풀을 하는 것을 '개미 먹인다'라고 하고 이를 통해 연을 더 부드럽게 할 수 있다.

> ✊ **설명하는 글 간추리기** 각 문단의 중심 문장을 찾은 뒤, 그 문장들을 연결하여 전체 내용을 간추릴 수 있습니다.

글의 종류에 맞게
내용 간추리기

5 다음은 이 글을 읽고 중요한 내용을 간추린 내용입니다. 간추린 내용에 들어가지 <u>않아도</u> 되는 문장으로 가장 알맞은 것을 찾아 밑줄을 그으세요.

> 연날리기는 정초에 전국에서 즐겨 행해지는 민속놀이의 하나이다. 연날리기는 오락성과 종교적인 뜻을 지닌 민속놀이로, 연과 관련된 기록으로 보아 아주 오랜 옛날부터 여러 가지 목적으로 연을 띄웠다는 것을 알 수 있다. 연의 종류는 연에 붙이는 색종이나 연의 바탕에 칠하는 색깔 등에 따라 반달연, 꼭지연, 동이연 등 다양하다. 연을 만드는 데에는 대와 종이가 필요하다. 방패연은 벌이줄을 매어 균형을 잡아야 한다. 또한 연줄에 부레풀이나 풀풀을 하여 연줄을 빳빳하고 억세게 한다.

오늘 독해는?

5문제 중　　　개를 맞혔어요!

김홍도의 생애

다음 글을 읽으며, 빈칸에 들어갈 알맞은 낱말을 찾아 쓰세요.

| 두루두루 | 대궐 | 초상화 | 서민 |

지현이는 미술관에 가서 옛날 그림들을 보았어요. 당시 임금의 모습을 그린

☐☐☐ 부터 임금이 살던 ☐☐ 까지 궁에서 그렸던 다양한 그림을 볼

사람의 얼굴을 중심으로 그린 그림   궁궐

수 있었어요. 그뿐 아니라 ☐☐ 들이 살아가는 다양한 모습을 그린 그림도

아무 벼슬이나 신분적 특권을 갖지 못한 일반 사람

볼 수 있었어요. 그림을 ☐☐☐☐ 둘러본 지현이는 나중에 커서 화가

여기저기 빠짐없이 골고루

가 되고 싶다는 꿈이 생겼어요.

● 다음 글을 읽고, 물음에 답하세요.

김홍도는 풍속화˙를 굉장히 잘 그렸어요. 생김새며 동작이며 표정 하나하나가 너무나 생생해서, 마치 그림 속 사람들이 살아 움직이는 것 같지요. 그뿐만 아니라 자연 풍경이나 동물, 사람, 신선 등 모든 그림을 두루두루 잘 그렸답니다. 김홍도는 세계에 자랑할 만한 우리의 화가예요.

김홍도는 지금부터 270년쯤 전인 1745년에 태어났어요. 그런데 몇 월 며칠, 어디에서 태어났는지는 정확히 알려져 있지 않아요.

어릴 적부터 그림 그리기를 무척 좋아했던 김홍도는 강세황이라는 분한테 그림을 배웠어요. 스무 살 무렵, 김홍도는 그림 그리는 재주를 인정받아서 '도화서'라는 관청에 들어갔어요. 그곳에서 다른 화가들과 함께 나라에서 필요로 하는 그림을 그렸지요. 그래서 대궐 그림도 그리고, 임금이 행차하는 그림도 그렸어요.

정조 임금은 김홍도의 그림 솜씨를 무척 아꼈어요. 그래서 자신의 초상화도 김홍도에게 그리라고 했지요. 정조 임금의 도움으로 김홍도는 자기가 그리고 싶은 그림을 마음껏 그릴 수 있었어요. 그 가운데서도 씨름하는 모습, 새참 먹는 모습, 벼를 탈곡하는 모습, 지붕을 새로 이는 모습 등 일반 서민들이 살아가는 모습을 특히 즐겨 그렸답니다.

마흔네 살에 김홍도는 김응환과 함께 금강산에 가서 100장도 넘는 금강산 그림을 그려 왔어요. 그런데 안타깝게도 그 그림들이 지금은 하나도 남아 있지 않아요. 오늘날 우리가 보는 김홍도의 금강산 그림은 그 뒤에 다시 그린 것이랍니다.

마흔일곱 살에 김홍도는 충청도 연풍 고을의 현감이 되었어요. 연풍 고을의 현감으로 3년 남짓 지내는 동안, 김홍도는 자기 집안일을 뒤로 하고 굶주리는 백성들을 구하는 데에 온 힘을 쏟았어요.

정조 임금이 세상을 떠난 뒤, 벼슬자리에서 물러난 김홍도는 몹시 힘들게 살았어요. 아들이 다니는 서당에 내야 할 돈도 마련하지 못해 쩔쩔맬 정도였지요. 나중에는 병마저 들어 그렇게 좋아하는 그림도 그릴 수 없게 되었어요. 그러다가 예순두 살쯤, 서민들을 사랑한 김홍도는 누구의 관심도 받지 못한 채 그렇게 쓸쓸히 세상을 떠났답니다.

˙풍속화: 그 시대의 유행, 습관 등 사람들의 생활상을 보여 주는 그림

1 김홍도가 그린 그림의 특징으로 알맞지 <u>않은</u> 것은 무엇인가요? (　　　)

① 생김새, 동작, 표정 하나하나가 매우 생생하였다.

② 일반 서민들이 살아가는 모습을 특히 즐겨 그렸다.

③ 다른 화가들이 쉽게 따라 그릴 수 없는 방법으로 그렸다.

④ 자연 풍경이나 동물, 사람, 신선 등 모든 그림을 두루두루 잘 그렸다.

2 정조 임금과 김홍도에 대하여 <u>잘못</u> 말한 친구의 이름을 쓰세요.

> **서진:** 정조 임금의 도움으로 김홍도는 자기가 그리고 싶은 그림을 마음껏 그릴 수 있었어.
>
> **준희:** 정조 임금은 김홍도의 그림 솜씨를 무척 아껴서 자신의 초상화도 김홍도에게 그리라고 했어.
>
> **민영:** 정조 임금은 자신이 세상을 떠난 뒤에도 김홍도가 그림을 그릴 수 있도록 모든 준비를 해 두었어.

(　　　　　　)

3 다음과 같은 일이 일어난 때를 나타내는 말로 알맞은 것은 무엇인가요? (　　　)

> 김홍도는 김응환과 함께 금강산에 가서 100장도 넘는 금강산 그림을 그려 왔다.

① 1745년에 　　　　　　　　　② 스무 살 무렵

③ 마흔네 살에 　　　　　　　　④ 마흔일곱 살에

4 김홍도가 서민들을 사랑했다는 사실을 알 수 있는 내용을 두 가지 고르세요.

(   )

① 어릴 때부터 그림 그리기를 좋아했다.

② 서민들이 살아가는 모습을 즐겨 그렸다.

③ 벼슬 자리에서 물러나 몹시 힘들게 살았다.

④ 현감으로 있으면서 백성들이 굶주리지 않도록 힘썼다.

시간의 흐름에 따라 내용 간추리기 인물의 일생을 쓴 글을 간추릴 때에는 인물의 나이나 연도와 같이 일이 일어난 때를 알려 주는 말을 찾아 시간의 흐름에 따라 인물이 한 일을 정리합니다.

글의 종류에 맞게
내용 간추리기 **5** 이 글을 읽고 내용을 간추리려고 합니다. 가~마를 김홍도가 한 일의 순서에 맞게 차례대로 기호를 쓰세요.

> 가 마흔일곱 살에 김홍도는 충청도 연풍 고을의 현감이 되어 굶주리는 백성들을 구하는 데에 온 힘을 쏟았다.
>
> 나 벼슬자리에서 물러난 김홍도는 몹시 힘들게 살다가 예순두 살쯤, 누구의 관심도 받지 못한 채 쓸쓸히 세상을 떠났다.
>
> 다 스무 살 무렵, 김홍도는 그림 그리는 재주를 인정받아 '도화서'라는 관청에 들어가 나라에서 필요로 하는 그림을 그렸다.
>
> 라 특히 정조 임금은 김홍도의 그림 솜씨를 아꼈고, 정조 임금의 도움으로 김홍도는 일반 서민들이 살아가는 모습을 특히 즐겨 그렸다.
>
> 마 마흔네 살에 김홍도는 김응환과 함께 금강산에 가서 100장도 넘는 금강산 그림을 그렸지만 그 그림들이 지금은 하나도 남아 있지 않다.

(   ) → (   ) → (   ) → (   ) → (   )

오늘 독해는?

5문제 중   개를 맞혔어요!

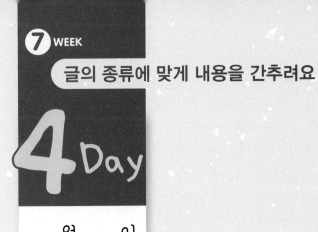

4 Day

월   일

소중한 물

다음 글을 읽으며, 빈칸에 들어갈 알맞은 낱말을 찾아 쓰세요.

가뭄	끼니	사태	무심코

기나긴 [   ]이 이어지자 거두어들일 곡식이 얼마 남지 않은 [   ]가

오랫동안 계속하여 비가 내리지 않아 메마른 날씨   일이 되어 가는 형편이나 상황

벌어지고 말았어요. 사람들은 [   ]를 잇지 못하게 될까 봐 걱정하였어요.

아침, 점심, 저녁과 같이 날마다 일정한 시간에 먹는 밥 또는 그렇게 먹는 일

처음에는 가뭄이 금방 지나갈 것이라며 [   ] 있었던 사람들도 점점 불

아무런 뜻이나 생각이 없이

안해졌어요. 사람들은 심지어 비 오기를 바라는 제사까지 지낼 생각도 하였

어요.

심한 가뭄 때문에 물이 부족하여 고생하는 사람들에 대한 이야기를 들었다. 평소에 부족함이 없이 써 오던 물을 갑자기 구하기 어렵게 되자, 생활하는 데에 큰 어려움을 겪었다고 한다. 당장 밥을 지을 물이 없어 끼니를 걱정하고, 몸을 제대로 씻지도 못하며, 빨래를 제때에 하지 못하였다고 한다.

과학자들은 가뭄이 들지 않더라도 물이 부족해지는 사태가 머지않아 올 것이라고 말한다. 앞으로 다가올지도 모르는 물 부족 현상을 막기 위해서는 평소에 물을 아껴 써야 한다. 그렇다면 우리가 물을 아낄 수 있는 방법에는 어떤 것이 있는지 생각하여 보자.

첫째, ㉠양치를 하거나 세수를 할 때에는 양칫물을 컵에 받아서 쓰고 세숫물을 세면대에 받아서 쓰자. ㉡이렇게 하면, 필요한 만큼의 물만 사용하게 되어 물을 아낄 수 있다.

둘째, ㉢수세식 변기에 벽돌이나 물을 담은 병을 넣어 두는 것도 좋은 방법이다. ㉣이렇게 하면 많은 양의 물을 절약할 수 있다.

셋째, ㉤설거지나 빨래를 할 때에 마지막에 헹구는 물은 그냥 버리지 말고 다시 쓰자. ㉥이런 물은 걸레를 빨 때에 쓰거나 꽃밭에 주는 물로 사용할 수 있다.

넷째, ㉦기름이 묻은 그릇은 미리 휴지 등으로 기름을 닦아 내고 설거지를 하자. ㉧이렇게 하면 설거지하는 데에 쓰이는 물이 어느 정도 줄어들어서 물을 절약할 수 있다.

그 밖에도 일상생활에서 물을 아낄 수 있는 방법은 많다. 우리 주변에서 무심코 낭비되는 물이 있는지 다시 한번 살펴보고, 낭비되는 물을 아끼는 방법을 생각하여 보자. 그리고 그 방법을 일상생활에서 실천하도록 하자.

1 이 글을 쓴 목적은 무엇인가요? (   )

① 물을 아껴 쓰자고 주장하기 위해

② 일상생활에서 물이 어떻게 쓰이는지 설명하기 위해

③ 물과 관련된 과학자들의 연구 결과를 알려 주기 위해

④ 물이 부족한 사람들을 도와준 이야기를 통해 감동을 주기 위해

2 이 글에서 말하는 문제 상황으로 알맞은 것을 골라 기호를 쓰세요.

> ㉮ 가뭄이 들지 않더라도 물이 부족해지는 상태가 올 것이다.
>
> ㉯ 한번 더러워진 물을 정화하는 데 많은 비용과 노력이 든다.
>
> ㉰ 각종 세제나 음식물 쓰레기 때문에 물이 점점 오염되고 있다.

(   )

3 문제 상황을 해결하기 위하여 이 글에서 제안하는 해결 방안은 무엇인가요?

(   )

① 물의 오염을 막기 위한 여러 가지 방법을 실천하자.

② 물을 사용하지 않고 생활할 수 있는 방법을 찾아내자.

③ 물을 대신하여 쓸 수 있는 자원을 개발하여 사용하자.

④ 일상생활에서 낭비되는 물을 아끼는 방법을 알고 실천하자.

4 이 글에서 구체적인 실천 방법을 간추릴 때, ㉠~㉺ 중 꼭 들어가야 하는 내용끼리 묶은 것은 무엇인가요? (   )

① ㉠, ㉢, ㉭, ㉫

② ㉠, ㉣, ㉭, ㉯

③ ㉠, ㉢, ㉭, ㉯

④ ㉡, ㉢, ㉭, ㉵

글의 전개에 따라 간추리기 주장하는 글은 '문제 상황, 해결 방안, 실천 방법'으로 이루어져 있습니다. 이러한 글의 전개에 따라 문단의 중심 문장 또는 중심 내용을 찾아 내용을 간추립니다.

글의 종류에 맞게
내용 간추리기

5 다음은 글의 전개 방식에 맞는 형식으로 이 글에서 중요한 내용을 간추린 것입니다. 다음 중 잘못된 부분은 무엇인가요? (   )

문제 상황	가뭄이 들지 않더라도 물이 부족해지는 사태가 머지않아 올 것이라고 한다.

↓

해결 방안	일상생활에서 물을 아껴 써야 한다.

① 양치를 하거나 세수를 할 때에는 양칫물을 컵에 받아서 쓰고 세숫물을 세면대에 받아서 쓴다.	② 수세식 변기에 벽돌이나 물을 담은 병을 넣어 둔다.	③ 설거지나 빨래를 할 때에 마지막에 헹구는 물은 그냥 버린다.	④ 기름이 묻은 그릇은 미리 휴지 등으로 기름을 닦아 내고 설거지를 한다.

오늘 독해는?

5문제 중   개를 맞혔어요!

꽃신의 꿈

다음 글을 읽으며, 빈칸에 들어갈 알맞은 낱말을 찾아 쓰세요.

> 감격스러운   덩달아   내리쬐었습니다

지영이가 승민이와 함께 체육 도구를 갖다 놓으려고 운동장 쪽으로 나오는데,

갑자기 친구들이 케이크를 들고 나타나 생일 축하 노래를 불러 주었어요. 지영

이는 생각지도 못했던 친구들의 축하에 [   ] 표정을 지었어요.
마음에 깊이 느끼어 크게 감동이 되는 듯한

즐거워하는 아이들 옆을 지나가시던 선생님께서도 [   ] 흐뭇한 웃음을
남이 하는 대로 좇아서

지으셨어요. 운동장 위로 밝고 따뜻한 햇볕이 [   ].
볕 따위가 세차게 아래로 비치었습니다

● 다음 글을 읽고, 물음에 답하세요.

사람이 잘 다니지 않는 풀숲에 외짝 꽃신이 버려져 있었습니다. 어느 날 봄비가 내린 뒤, 그 꽃신 안에 풀잎이 몇 장 쌓이고, 빗물이 담겼습니다.

"나는 너희를 담고 있게 되어서 정말 기뻐!"

쓸쓸하게 지내던 외짝 꽃신이 말하였습니다.

㉠"너는 우리 꿈을 망가뜨려 놓았어."

꽃신 안에 담긴 빗방울들은 기뻐하는 꽃신과는 반대로 매우 불만스러운 눈치였습니다.

"나하고 함께 있는 것이 싫어서 그러니?"

꽃신이 걱정스럽게 물었습니다.

"우리들이 하얀 구름이었을 때 높은 하늘을 날아다니면서 가졌던 꿈은 이런 좁은 곳에 갇히는 것이 아니었어." (중략)

"나는 꼬마의 귀여운 발을 품고 있을 때에는 다른 꿈이 없었어."

"그럼 지금은 다른 꿈이 생겼다는 말이니?" / "응."

"어떤 꿈인데?"

"꼬마가 나를 잊지 않고 생각해 주었으면 하는 거야. 그리고 또 하나, 방금 생긴 건데……."

"그게 뭔데?"

빗방울들이 한꺼번에 물었습니다.

"너희들이 행복해지는 거야." (중략)

바람이 불자 연분홍빛 진달래가 꽃신 안의 빗물에 비쳤습니다. 파란 하늘과 하얀 구름도 작은 꽃신 안에 담겼습니다.

"이것 봐. 너희들이 온 뒤로 하늘이 담겼어."

꽃신이 감격스러운 목소리로 말하였습니다.

㉡"네가 좋아하는 것을 보니 우리도 조금은 행복해지는구나!"

빗방울들이 꽃신을 보며 말하였습니다.

밤이 되었습니다.

"이것 봐. 별님이 찾아왔어. 어, 달님도 왔네!"

꽃신은 신기해하며 좋아하였습니다. 꼬마의 보드라운 발 대신 한 움큼의 빗물을 안은 꽃신은 옛날처럼 행복하였습니다.

"우리는 여기에 갇혀서 아무짝에도 쓸모없는 물이 되는 줄 알았어."

빗방울들은 행복해하는 꽃신을 보며 덩달아 흐뭇해하였습니다.

이튿날은 햇볕이 쨍쨍 내리쬐었습니다. 꽃신 안에 담겼던 빗방울들의 몸이 가벼워지기 시작하였습니다. 빗방울들은 아주 작은 수증기가 되었습니다.

"우리가 다시 구름이 된다면 작은 꽃신을 행복하게 해 주는 꿈을 가지게 될 거야."

수증기가 된 빗방울들은 이렇게 말하며 햇살을 타고 하늘로 올라갔습니다.

며칠이 지난 어느 날이었습니다. 늦은 봄비가 내리다가 햇볕이 쨍쨍 내리쬐었습니다. 그러자 외짝 꽃신이 놓여 있는 풀밭 위로 예쁜 무지개가 떴습니다. 꽃신과 같은 색깔의 무지개였습니다.

그때, 아랫마을에서 예쁜 여자아이가 무지개를 바라보고 있었습니다. 그 여자아이는 숲에 떨어진 꽃신과 똑같은 외짝 꽃신을 들고 있었습니다.

"엄마, 꽃신, 내 꽃신!"

---

1 이 글의 처음 부분에 봄비가 내린 뒤 일어난 일은 무엇인가요? (   )

① 여자아이가 꽃신 한 짝을 잃어버렸다.

② 버려진 외짝 꽃신 안에 빗물이 담겼다.

③ 빗방울들이 수증기가 되어 하늘로 올라갔다.

④ 여자아이가 외짝 꽃신 한 짝을 들고 나타났다.

2 꽃신의 두 가지 꿈은 무엇인지 빈칸에 알맞은 말을 이 글에서 찾아 쓰세요.

- 꽃신의 주인이었던 꼬마가 자신을 잊지 않고 ☐☐ 해 주는 것

- 빗방울들이 ☐☐ 해지는 것

3 ㉠과 ㉡을 보고 알 수 있는 것을 알맞게 말한 친구의 이름을 쓰세요.

> **세원**: 빗방울들이 꽃신 안에 갇혀서 아무 짝에도 쓸모없는 물이 되었다는
> 것을 깨닫고 자기 자신들을 원망하고 있어.
>
> **혜교**: 꽃신이 행복해하는 것을 보고 그것을 자신들의 행복으로 느끼는 것
> 으로 보아 빗방울들의 마음이 조금씩 변하고 있어.

(   )

> **이야기의 흐름에 따라 간추리기** 시간과 장소, 사건의 흐름에 따라 이야기 글을 간추릴 수 있습니
> 다. 이 글은 꽃신 안에 빗물이 담긴 후 시간의 변화에 따라 일어난 사건을 중심으로 간추립니다.

글의 종류에 맞게
내용 간추리기

4 이 글을 이야기의 흐름에 따라 간추릴 때 빈칸에 시간을 나타내는 말을 넣어 일어난
사건을 알맞게 쓰세요.

> 어느 날 봄비가 내린 뒤, 꽃신 안에 풀잎이 몇 장 쌓이고, 빗물이 담겼
> 다. 빗방울들은 꽃신 안에 갇힌 것을 불만스러워하지만, 꽃신은 빗방울들
> 이 행복해지는 꿈을 갖게 되며 기뻐한다. 빗방울이 온 후로 하늘과 구름,
> 별과 달이 비치는 것을 기뻐하는 꽃신을 보며 빗방울들도 흐뭇해하였다.
>
>
>
> 그리고 며칠이 지난 어느 날, 똑같은 외짝 꽃신을 든 여자아이가 와서 큰
> 소리로 꽃신을 외친다.

오늘 독해는?

4문제 중   개를 맞혔어요!

7 WEEK

마무리

글의 종류에 맞게 내용을 간추려요

독해 원리 학습

들은 내용 간추리기	설명하는 글 간추리기
중요한 내용만 골라서 알맞은 형식을 정하여 짧게 간추린다.	각 문단의 중심 문장을 찾아 그것을 연결하여 간추린다.

내용 간추리기

주장하는 글 간추리기	이야기 글 간추리기
글의 전개에 따라 '문제 상황—해결 방안—실천 방법'의 순서대로 간추린다.	시간과 장소, 사건의 흐름에 따라 이야기의 순서를 정한 다음 전체 내용을 자연스럽게 간추린다.

여러 가지 글의 종류에 따라 내용을 간추리는 방법을 알고,
중요한 내용 위주로 간단히 간추려야 합니다.

8. 〈조건〉을 모두 반영하여 〈보기〉를 요약한 것으로 가장 적절한 것은?

〈보기〉를 요약

○ 각 문단의 중심 내용을 포함한다.
○ 자신의 생각이나 비판을 추가하지 않는다.
○ 반복된 내용이나 부가적인 내용은 압축한다.

① 번지점프는 높 '요약'은 '간추리기'를 어렵게 표현한 말이에요. 수능에는
스포츠이다. 조건에 맞게 글의 내용을 간추리는 문제가 나와요.
국의 전통 의식에서 규대되었다.
② 바누아투 공화국에서는 높은 곳에서의 점프를 통해 소년들의

WEEK

8

글의 주제를 파악해요

흥부와 놀부가 말하고 싶은 것

흥부와 놀부 이야기를 잘 알고 있지요? 그림에서와 같이 제비 다리를 고쳐 준 흥부는 온갖 금은보화를 얻고, 동생에게 못되게 군 놀부는 모든 것을 잃고 울고 있네요. 그렇다면 이 이야기를 통해 읽는 이에게 말하고 싶은 것은 과연 무엇일까요?

착한 사람은 [ ]을 받고

못된 사람은 [ ]을 받는다.

　빈칸에 들어갈 말을 알 수 있나요? 첫 번째 칸은 '복', 두 번째 칸은 '벌'이 들어가요. 이와 같이 글에서 **읽는 이에게 전하고자 하는 생각**을 **'주제'**라고 해요. 이때 주제는 여러 가지 종류의 글에 따라 파악하는 방법이 다르답니다. 다양한 종류의 글을 읽고 글에서 직접적 혹은 간접적으로 우리에게 전하고자 하는 생각이 무엇인지 짐작해 볼까요?

부자 나라와 가난한 나라

다음 글을 읽으며, 빈칸에 들어갈 알맞은 낱말을 찾아 쓰세요.

영양실조	침울한	격차

에시앙은 아프리카에서 온 육상 선수예요. 에시앙이 처음 이곳에 왔을 때만

해도 ☐☐☐ 에 걸린 것처럼 깡마른 몸에 그동안 힘들게 살았던 환경

영양소의 부족으로 일어나는 신체의 이상 상태

탓인지 매우 ☐☐☐ 표정이었어요. 하지만 그가 첫 육상 대회에서 빠른

걱정이나 근심에 잠겨서 마음이 우울한

선수들을 엄청난 ☐☐ 로 따돌리고 우승을 하자, 그의 얼굴에도 행복한 미

가격이나 자격, 품등 따위의 서로 다른 정도

소가 번졌어요.

● 다음 글을 읽고, 물음에 답하세요.

　㉠세계보건기구에서 일하는 한 연구원이 세계 식량 공급에 관한 보고서를 만들다가 깜짝 놀랐어요. 그동안 세계의 식량 생산과 공급이 조금씩 늘어나 그냥 보면 세계의 모든 사람이 배불리 먹고도 남을 정도였어요. 그런데 해마다 수많은 어린이가 영양실조에 시달리고 있는 게 아니겠어요?

　'어떻게 해서 이런 일이 벌어진 걸까? 전 세계에서 생산되는 곡식이면 모든 사람이 먹고도 남는데, 어디에 문제가 있는 걸까?'

　오늘날 세계에서 생산되는 곡식의 양이면 70억 명이 넘는 세계 인구가 넉넉히 먹고 살 수 있을 정도예요. 이렇게 음식이 충분한데 해마다 전 세계의 수많은 어린이가 굶주림에 시달리다 죽어 간다니요? 게다가 많은 청소년과 어른도 심한 영양실조에 걸려 죽어 가고 있다니, 도대체 무슨 영문일까요?

　그는 동료 연구원에게 그 이유를 물었어요. 동료 연구원은 침울한 목소리로 대답했어요.

　"전 세계의 식량을 합치면 모든 사람이 먹고 사는 데 충분해. 그러나 나라마다 경제 수준이 달라 어떤 나라는 식량이 남아돌고, 어떤 나라는 모자라 어린이들이 굶어 죽는 거야."

　그 말을 들은 연구원은 세계에서 잘사는 나라들과 가난한 나라들을 비교해 보았어요. 그 결과 가난한 나라들의 경제적 힘은 잘사는 나라의 5퍼센트도 안 된다는 사실을 알게 되었어요. 즉, 잘사는 나라의 국민들은 가난한 나라의 국민들보다 20배가 넘는 양의 빵을 가지고 있는 것과 마찬가지였지요.

　'가난한 나라의 아이가 빵 한 개를 먹을 때, 부자 나라의 어린이는 빵 스무 개를 먹을 수 있다니.'

　그는 더 놀라운 사실을 발견했어요. 부자 나라와 가난한 나라의 격차가 점점 더 벌어지고 있다는 사실이었어요. 시간이 갈수록 그 차이가 더 벌어지고 있었어요.

　'결국 가난한 나라의 아이들은 기아에서 벗어날 수 없다는 말인가? 방법이 없을까?'

　이처럼 부자 나라와 가난한 나라 사이의 격차는 세계의 모든 사람이 가장 먼저 풀어야 할 심각한 문제가 되었어요. 이러한 빈부 격차와 함께 제3세계* 나라 국민들의 영양실조 문제가 특히 심각하답니다. 우리가 엄마와 아빠한테 음식 투정을 부릴 때, 가난한 이웃과 가난한 나라의 아이들은 굶주림에 시달리다가 죽어 가고 있다는 사실을 결코 잊지 말아요.

● 제3세계: 선진국에 비해 산업의 근대화와 경제개발이 크게 뒤지고 있어 현재 경제성장을 목표로 하는 나라

1 ㈀의 까닭으로 알맞은 것을 골라 기호를 쓰세요.

> ㉮ 영양실조에 시달리는 수많은 어린이가 식량 생산과 공급이 조금씩 늘어
> 난 국가에 살고 있기 때문에
>
> ㉯ 전 세계에서 생산되는 식량은 모든 사람이 먹고 남을 정도로 늘어났는
> 데 해마다 수많은 어린이가 영양실조에 시달리고 있기 때문에

(   )

2 이 글을 읽고 알 수 있는 사실로 알맞지 <u>않은</u> 것은 무엇인가요? (   )

① 부자 나라와 가난한 나라 사이의 격차가 점점 줄어들고 있다.
② 가난한 나라들의 경제적 힘은 잘사는 나라의 5퍼센트도 안 된다.
③ 나라마다 경제 수준이 달라 어떤 나라는 식량이 남아돌고, 어떤 나라는 모자란다.
④ 오늘날 세계에서 생산되는 곡식은 세계 인구가 넉넉히 먹고 살 수 있을 정도의
양이다.

3 이 글에서 세계의 모든 사람이 풀어야 할 문제 두 가지는 무엇이라고 하였는지 빈칸
에 알맞은 말을 각각 쓰세요.

> • 부자 나라와 가난한 나라 사이의 [   ][   ] 문제
>
> • 제3세계 나라 국민들의 [   ][   ][   ] 문제

4 이 글을 읽고 가난한 나라의 아이들을 도와줄 방법으로 알맞지 <u>않은</u> 내용을 말한 친구의 이름을 쓰세요.

> **소린 :** 용돈을 조금씩 모아서 모금 단체에 보내면 가난한 나라의 아이들에게 도움이 될 거야.
>
> **윤후 :** 지원을 해 주는 것보다 가난한 나라의 아이들이 스스로 일어설 수 있도록 자립심을 키워야 한다고 생각해.
>
> **다인 :** 부모님과 함께 가난한 나라의 아이들 중 몇 명과 결연 관계를 맺고 지속적으로 도움을 주면 좋을 것 같아.

(   )

글쓴이가 전하려는 생각 글쓴이가 글을 통해 전하려는 생각은 결국 글의 주제를 뜻합니다. 글에 제시된 내용을 읽고, 글쓴이가 이러한 내용을 제시함으로써 어떤 생각을 알기를 바라는지 짐작해 봅니다.

글의 주제 파악 하기

5 이 글을 통해 글쓴이가 전하고자 하는 생각은 무엇인지 골라 기호를 쓰세요.

> **가** 전 세계 사람들이 먹고 남을 정도로 충분한 식량을 공급할 수 있도록 특별한 재배법을 개발해야 한다.
>
> **나** 가난한 이웃과 가난한 나라의 아이들이 굶주림에 시달리다가 죽어 가고 있다는 것을 잊지 말고 도울 수 있는 방법을 생각해야 한다.

(   )

오늘 독해는?

5문제 중   개를 맞혔어요!

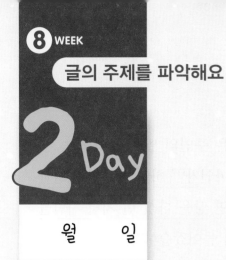

이런 말은 사람만 할 수 있어요

다음 글을 읽으며, 빈칸에 들어갈 알맞은 낱말을 찾아 쓰세요.

영리한	셈	지능	엮어

동훈이는 어렸을 때부터 [   ] 아이라는 소리를 들었어요. 다른 아이
눈치가 빠르고 똑똑한

들보다 훨씬 어린 나이에 [ ]을 하기도 했고, 낱말들을 [ ] 독특하면서
수를 세는 일   글이나 이야기 따위를 구성하기 위하여 여러
가지 소재를 일정한 순서와 체계에 맞추어 짜

도 논리적인 문장을 만들어 내기도 했어요. 누가 보아도 [ ]이 매우 높
지혜와 재능을 통틀어 이르는 말

은 것처럼 보이는 행동을 많이 했어요. 하지만 동훈이는 주변의 많은 관심과

기대 속에서 큰 부담을 느끼고 공부에 점점 흥미를 잃게 되었어요.

● 다음 글을 읽고, 물음에 답하세요.

아주 영리한 말을 기르는 사람이 있었습니다. 그가 기르는 말은 주인의 말을 알아듣고, 셈도 할 줄 안다고 소문이 났습니다. ㉠주인이 "셋 더하기 넷은 얼마인가?" 하고 물으면 앞발굽으로 땅을 일곱 번 치고, "열 빼기 다섯은 얼마인가?" 하고 물으면 땅을 다섯 번 쳐서 사람들을 놀라게 했습니다. 이 소문은 널리 퍼져서 과학자들의 귀에까지 들어갔습니다.

정말 이 말은 주인의 말을 알아들을 수 있었던 걸까요? 과학자들이 찾아와 조사를 해 보았더니 그 말은 주인의 말을 알아듣고 셈을 한 것이 아니라 사람들의 눈치를 보고 답을 맞춘 것이었답니다.

"셋 더하기 넷은?" 하고 주인이 물으면 말은 땅을 두드리기 시작합니다. 그렇게 일곱 번을 치면 구경꾼들의 얼굴에 긴장감이 돌고 얼굴 표정이 바뀌지요. 그럼 영리한 말은 그것을 보고 답을 눈치채 두드리기를 멈추었던 것입니다.

질문하는 사람이 말의 귀에 대고 "둘 더하기 셋은?" 하고 속삭이듯 물어보면 어떻게 될까요? 말은 계속 땅을 두드리게 됩니다. 구경꾼들은 질문이 무엇인지 모르니까 당연히 답도 모르고, 그러다 보니 얼굴 표정에 변화가 일어나지 않게 되지요. 그러면 말도 언제 땅 두드리는 것을 멈춰야 하는지 모르는 거죠.

앵무새가 말을 하고, 지능이 높은 원숭이가 카드를 사용해서 자기가 말하고 싶은 것을 표현하는 경우도 있습니다. 그러나 아무리 영리한 동물이라도 사람처럼 말을 할 수는 없습니다. 사람은 알고 있는 말들을 엮어 새로운 문장을 만들어 냅니다. 그대로 배워서 그대로 말하는 게 아니지요.

"나는 미래에 과학자가 되고 싶은 꿈을 지녔기에 오늘도 열심히 공부한다. 내 가슴속에는 꿈과 희망의 불꽃이 타오르고 있다."

누군가에게 배운 적 없는 이런 말을 하고 쓸 줄 아는 동물은 사람밖에 없습니다.

시를 쓰고, 재미난 이야기를 들려주고, 토론도 하는 동물, 사람밖에 없지요.

1 이 글에 나오는 영리한 말이 ㉠과 같이 할 수 있었던 까닭은 무엇인가요? (   )

① 주인의 말을 알아듣고 셈도 할 줄 알았기 때문에

② 사람들의 얼굴 표정을 보고 눈치를 채서 두드리기를 멈추었기 때문에

③ 주인이 사람들이 알아차리지 못하게 말에게 그만 두드리도록 명령했기 때문에

④ 주인이 매일 같은 답만 나오게 시키고 말은 그 답만큼만 두드리도록 훈련받았
기 때문에

2 다음은 무엇에 대한 예로 제시한 것인지 골라 ○표 하세요.

> • 앵무새가 말을 하는 경우
> • 지능이 높은 원숭이가 카드를 사용해서 자기가 말하고 싶은 것을 표현하
> 는 경우

❶ 그대로 배워서 그대로 말하는 것   (   )

❷ 알고 있는 말들을 엮어 새로운 문장을 만들어 내는 것   (   )

3 이 글의 내용으로 보아, 사람만 할 수 있는 언어 활동을 한 경우가 <u>아닌</u> 것은 무엇
인가요? (   )

① 가족과 함께 여행 가서 보고 느낀 점을 시로 쓴 경우

② 동생에게 상상하여 지어낸 재미난 이야기를 들려준 경우

③ 각 나라의 인사말을 듣고 한 번씩 그대로 따라 말한 경우

④ 반 친구들끼리 쓰레기를 줄이는 방법에 대해 토론을 한 경우

글의 주제 파악
하기

4 **이 글의 주제로 알맞은 것은 무엇인가요? (   )**

① 사람처럼 창조적으로 말을 하는 동물은 없다.

② 동물도 사람처럼 자기 생각을 말로 표현한다.

③ 동물은 사람처럼 여러 개의 낱말을 사용하지 않는다.

④ 사람이나 동물이나 눈치를 보면서 말을 하는 것이 같다.

글의 주제 파악
하기

5 **이 글의 주제가 적용될 수 있는 내용을 말한 친구의 이름을 쓰세요.**

> **세훈:** 침팬지를 훈련시킨 학자들이 있었대. 그림 카드를 사용해서 자기 의
> 사 표현을 하게 했는데, 카드를 조합해서 갖가지 표현을 할 수 있었다는
> 거야. 사람과 발음하는 기관이 달라서 그렇지, 침팬지도 말을 할 수 있는
> 능력이 있다는 증거야.
>
> **미주:** 여러 개의 단어를 배우고 여러 가지 의사 표현을 할 수 있다고 해도
> 그것은 훈련받은 것을 그대로 하는 것일 뿐이야. 미래에 대해서 이야기하
> 거나 있었던 일을 이야기할 수 있겠어? 있는 상황만 표현할 뿐이고 상상
> 하고 꾸며 내기도 하는 사람의 언어와는 근본적으로 달라.

(   )

오늘 독해는?

5문제 중   개를 맞혔어요!

소금

다음 글을 읽으며, 빈칸에 들어갈 알맞은 낱말을 찾아 쓰세요.

구실	섭취	유용하게	유지

우리가 음식물을 [ ] 하면 입안에서 잘게 부수어진 음식물들은 소화 기
<small>생물체가 양분 따위를 몸속에 빨아들이는 일</small>

관을 거쳐 우리 몸 이곳저곳에 영양소가 필요한 부분으로 가지요. 그리고 우

리 몸에 [ ] 쓰여 알맞은 [ ] 을 할 수 있게 되어요. 우리가
<small>쓸모가 있게</small>   <small>자기가 마땅히 해야 할 맡은 바 책임</small>

먹는 대로 우리의 몸이 [ ] 된다고 생각하면 음식 먹는 것을 그렇게 단순
<small>어떤 상태나 상황을 그대로 보존하거나 변함없이 계속하여 지탱함.</small>

히 쉽게 여길 일은 아니랍니다.

소금은 지구 곳곳에서 여러 가지 방법으로 얻어진다. 오늘날 세계 소금 생산량의 약 3분의 2가 암염덩이에서 얻어 낸 돌소금이다. 돌소금이 전혀 나오지 않는 우리나라에서는 염전에 바닷물을 끌어 들여서 태양열로 수분을 증발시키는 천일제염법으로 소금을 얻기도 하고, 바닷물에 녹아 있는 소금을 전기의 힘으로 분리하여 얻기도 한다. 오늘날에는 염전이 아닌 공장에서도 소금을 만들 수 있게 되었다.

인류의 역사를 돌이켜보면, 언제, 어느 곳에서나 소금은 중요한 구실을 해 왔다. 사냥감을 찾아 떠돌아다니던 먼 옛날 사람들은 짐승과 물고기, 조개 따위를 먹고 살았기 때문에, 그 속에 든 소금기를 자연히 섭취할 수 있었다.

그러나 한곳에 정착하여 농사를 짓게 되자, 식물성 식품을 주로 먹게 되어 소금이 많이 필요하게 되었다. 그래서 소금 만드는 일만 하는 사람이 생기고, 소금이 귀해져서 돈의 구실까지 한 때도 있었다.

고대 로마에서는 병사들의 봉급으로 소금을 주기도 하였고, 중국에서는 세금으로 소금을 징수한 때도 있었다. 옛날에는, 우리나라에서도 소금을 만들고 파는 일을 나라에서 관리하였다고 한다.

사람들은 소금을 음식 맛을 내거나 염장 식품을 만드는 데 사용한다. 염장 식품은 수분을 빨아들여서 세균이 생기는 것을 막아 주는 소금의 성질을 이용한 식품이다. 간장, 된장, 고추장, 자반, 젓갈 등이 염장 식품의 예이다. 또, 소금은 공업용으로도 쓰인다. 나일론, 비누, 종이, 약품, 표백제, 살충제 등의 원료로 소금이 사용된다.

▲ 염전

그 밖에도 소금은 일상생활에서 유용하게 쓰인다. 감기를 예방하기 위하여 소금 양치질을 하기도 하고, 꽃꽂이할 꽃을 싱싱하게 유지하기 위하여 가지를 잘라 소금물에 담그기도 한다. 또, 껍질을 벗긴 사과를 소금물에 담갔다가 건져내어 변색되는 것을 막기도 하고, 달걀을 삶을 때에 소금을 조금 넣어서 껍데기가 갈라지는 것을 막기도 한다.

• 염전: 소금을 만들기 위하여 바닷물을 끌어 들여 논처럼 만든 곳
• 징수: 나라, 공공 단체 등이 돈, 곡식, 물품 따위를 거두어들임.

1 우리나라에서 소금을 얻는 방법으로 알맞지 <u>않은</u> 것은 무엇인가요? (   )

① 암염덩이에서 돌소금을 얻어 낸다.

② 염전이 아닌 공장에서 만들어 낸다.

③ 바닷물에 녹아 있는 소금을 전기의 힘으로 분리하여 얻어 낸다.

④ 염전에 바닷물을 끌어 들여서 태양열로 수분을 증발시켜서 얻어 낸다.

2 인류의 역사에서 소금이 필요했던 경우로 알맞지 <u>않은</u> 예를 골라 기호를 쓰세요.

> **가** 중국에서 세금으로 소금을 징수하였다.
>
> **나** 고대 로마에서 병사들의 봉급으로 소금을 주었다.
>
> **다** 옛날 여자들이 미용을 위해 몸에 소금을 바르거나 먹기도 하였다.
>
> **라** 농사를 짓게 되면서 식물성 식품을 주로 먹게 되어 소금을 섭취해야 했다.

(   )

3 소금의 여러 가지 쓰임을 생각하며 빈칸에 알맞은 말을 쓰세요.

> • 음식 맛을 내거나 간장, 된장, 고추장과 같은 ☐☐ ☐☐ 을 만
>
> 드는 데 사용한다.
>
> • ☐☐☐ 으로 쓰여 나일론, 비누, 종이 등의 원료가 된다.
>
> • 감기를 예방하기 위한 소금 양치질, 꽃꽂이할 꽃의 가지를 잘라 소금물에
>
> 담그기 등 ☐☐☐☐ 에서 유용하게 쓰인다.

4 글쓴이가 이와 같은 글을 쓴 까닭은 무엇일지 알맞게 말한 친구의 이름을 쓰세요.

> **민수:** 소금의 나쁜 점을 알려 줌으로써 음식을 먹을 때 소금 양을 적게 해서 먹자는 뜻을 전하기 위해서야.
>
> **홍선:** 소금의 역사나 쓰임 등과 같은 정보를 알려 줌으로써 읽는 이에게 소금의 특징과 중요성을 전하기 위해서야.
>
> **재영:** 소금 자체의 성분이나 맛과 같이 소금의 구체적인 특징을 알려 줌으로써 소금에 대한 인식을 바꾸기 위해서야.

(   )

설명하는 글의 주제 한 가지 대상에 대하여 자세히 설명하고 정보를 알려 주는 글입니다. 각 문단의 중심 문장을 간추려 글 전체에서 전하고자 하는 생각을 한 문장으로 정리한 것이 주제가 됩니다.

글의 주제 파악
하기

5 이 글의 주제를 한 문장으로 알맞게 정리한 것을 골라 ○표 하세요.

❶ 인류의 역사상에서도 중요한 구실을 한 소금은 오늘날에도 음식 맛을 내는 것은 물론 일상생활에서 여러 가지로 유용하게 쓰인다. (   )

❷ 지구 곳곳에서 여러 가지 방법으로 얻어지는 소금은 오늘날 각종 음식에 너무 많이 들어가 사람들의 건강을 해치는 주범이 되고 있다. (   )

오늘 독해는?

5문제 중   개를 맞혔어요!

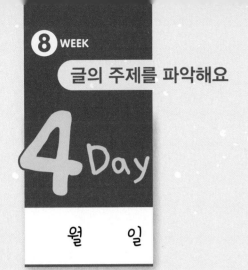

몸무게

다음 글을 읽으며, 빈칸에 들어갈 알맞은 낱말을 찾아 쓰세요.

| 등불 | 일터 | 얹혀 | 가르침 |

밤늦은 시간에도 방 안에 켜진 ☐☐ 은 꺼질 생각을 하지 않았어요. 낮에
등에 켠 불

☐☐ 에서 열심히 일하고 돌아온 아저씨가 늦은 밤까지 공부를 하기 때문
일을 하는 곳

이에요. 아저씨의 책상 위에는 많은 책들이 ☐☐ 있었어요. 어린 나이에
위에 올려져

돈을 벌 수밖에 없었던 아저씨는 공부는 반드시 포기하지 말라던 선생님의

☐☐☐ 을 잊지 않고 혼자 꾸준히 공부를 해 왔어요.
도리나 지식, 사상, 기술 따위를 알게 함. 또는 그 내용

● 다음 시를 읽고, 물음에 답하세요.

몸무게

나의 몸무게는
어머니의 눈물 몇 방울로 이루어져 있다.
등불처럼 밤새워
아픈 머리맡 지키며 흘리시던
눈물 몇 방울.

일터에서 흘리시던
아버지의 땀방울도 얹혀 있고

선생님의 가르침
친구들과 나눈
따뜻한 얘기들도 들어 있다.

책이 들려준 말씀 몇 마디는
가슴의 무게를 더하고

㉠나의 몸무게는 그래서
저울로는 달 수 없다.

1 이 시에서 '나'의 몸무게를 이루고 있는 것으로 알맞지 <u>않은</u> 것은 무엇인가요?

(   )

① 친구들과 나눈 따뜻한 얘기들

② 최선을 다했던 '나'의 노력과 다짐

③ 일터에서 흘리시던 아버지의 땀방울

④ 아픈 머리맡을 지키며 흘리시던 어머니의 눈물 몇 방울

2 '나'가 ㉠과 같이 말한 까닭을 알맞게 짐작한 것을 골라 기호를 쓰세요.

> **가** '나'의 몸무게는 많은 사람들의 사랑과 정성으로 이루어져 있기 때문이다.
>
> **나** '나'가 생각하는 몸무게와 저울로 달았을 때의 몸무게가 너무나도 다르기 때문이다.
>
> **다** '나'의 몸무게는 주변 사람들에 따라 자주 바뀌기 때문에 정확한 몸무게를 잴 수 없기 때문이다.

(   )

3 이 시에서 '나'의 마음과 가장 관련 깊은 말로 알맞은 것을 골라 ◯표 하세요.

> 원망   후회   질투   감사   설렘

글의 주제 파악하기 **4** **이 시의 주제로 알맞은 것은 무엇인가요? (   )**

① 많은 사람의 정성과 사랑으로 자라는 나
② 힘들고 아픈 고통 뒤에 오는 보람과 행복
③ 무엇으로도 갚을 길이 없는 부모님의 은혜
④ 가끔은 부담스럽고 힘겨운 주변 사람들의 관심

5 **이 시를 읽고 생각하거나 느낀 점을 알맞게 말하지 못한 친구의 이름을 쓰세요.**

> **은별:** 내가 잘못했을 때도 늘 혼내시기보다 사랑으로 감싸 주시는 부모님이 떠올라 가슴이 뭉클했어.
>
> **유정:** 몸무게라는 것은 수로 정확히 나타나는 것인데 저울로 달 수 없다고 한 부분이 논리적으로 이해가 되지 않아.
>
> **정권:** 나도 부모님과 친구들에게 고마운 마음을 갖고 있는데 그런 생각을 몸무게와 연관시켜 상징적으로 표현한 것이 기발하고 재미있었어.

(   )

오늘 독해는?

5문제 중   개를 맞혔어요!

5 Day

월   일

❶ 금덩이보다 소중한 것
❷ 어리석은 당나귀

다음 글을 읽으며, 빈칸에 들어갈 알맞은 낱말을 찾아 쓰세요.

주막	허우적거리고	간신히

옛날에 어느 나그네가 길을 가다 날이 저물어 [   ]에서 하룻밤을 묵기

<small>시골 길가에서 밥과 술을 팔고, 돈을 받고 나그네를 묵게 하는 집</small>

로 했어요. 그날 밤 몹시 피곤했던 나그네는 험한 꿈을 꾸고는 손을

[   ] 소리를 지르다가 [   ] 잠에서 깼어요. 그런데

<small>손발 따위를 자꾸 이리저리 마구 내두르고</small>   <small>겨우 또는 가까스로</small>

잠에서 깬 나그네 바로 옆에 커다란 구렁이가 입을 크게 벌리고 있는 것이었

어요. 나그네는 너무 놀라 꼼짝도 못하고 있었어요.

● 다음 글을 읽고, 물음에 답하세요.

한 젊은이가 오랫동안 열심히 일을 해서 품삯으로 금덩이를 받았다. 그리고 나서 고향으로 가던 길에 주막에서 하룻밤 묵게 되었다.

이튿날 아침, 주막을 나선 젊은이는 뒤에서 자기를 부르는 소리를 들었다. 돌아보니 주막 주인이 뛰어오고 있었다.

"당신이 금덩이를 두고 갔기에 이렇게 쫓아왔소."

젊은이는 감사의 인사를 하고는 다시 길을 떠났다.

조금 가다가 강가에 다다르니, 장마로 잔뜩 불어난 강물에 한 아이가 빠져 허우적거리고 있었다. 그런데 아이를 구하려는 사람은 아무도 없었다.

헤엄을 칠 줄 모르는 젊은이는 품속의 금덩이를 꺼내 높이 쳐들고 외쳤다.

"저 아이를 구한 사람에게 이 금덩이를 드리겠소."

그러자 한 사람이 옷을 벗어부치며 나서더니 강물에 첨벙 뛰어들어 마침내 아이를 구하였다. 젊은이는 약속대로 금덩이를 그 사람에게 주었다.

이때, 아이의 아버지가 달려왔다. 바로 주막 주인이었다.

"정말 고맙소. 내 아들을 구하려고 귀한 금덩이를 남에게 주다니……."

주막 주인이 눈물을 글썽거리며 고맙다고 하자, 젊은이가 말하였다.

"아무리 금덩이가 귀한들 사람 목숨에 비하겠습니까? 주막에 금덩이를 떨어뜨리고 나왔을 때부터 그것은 제 물건이 아니었습니다. 그것으로 아이를 구했으니 저는 오히려 좋은 일을 한 셈이지요. 그리고 당신도 정직한 마음씨에 대한 보답을 받은 셈이니 좋지 않습니까?"

1 이 글에 나온 인물이 다음과 같은 행동을 한 까닭은 무엇인지 빈칸에 알맞은 말을 각각 쓰세요.

❶ 주막 주인이 주막을 나선 젊은이를 뒤따라 간 까닭 : 젊은이가
　[　　|　　|　　] 를 두고 간 것을 보고 주인을 찾아 주기 위해서이다.

❷ 젊은이가 강물에 빠진 아이를 구한 사람에게 금덩이를 주겠다고 한 까닭 :
　아이를 살려야 하는데 자신은 [　　|　　] 을 칠 줄 몰랐기 때문이다.

2 이 글에서 일이 일어난 순서에 알맞게 기호를 쓰세요.

> 가 아이의 아버지가 달려왔는데 젊은이에게 금덩이를 찾아 준 주막 주인이 었음.
>
> 나 한 사람이 강물에 뛰어들어 아이를 구하고 젊은이는 약속대로 금덩이를 그 사람에게 줌.
>
> 다 젊은이가 길을 가다가 강물에 빠진 아이를 보고 아이를 구한 사람에게 금덩이를 주겠다고 함.
>
> 라 주막에서 하룻밤 묵었던 젊은이에게 주막 주인이 쫓아와서 젊은이가 일해서 받았던 품삯인 금덩이를 두고 갔다며 찾아 줌.

( ) → ( ) → ( ) → ( )

3 주막 주인이 젊은이에게 아들을 구할 수 있게 해 주어 고맙다고 했을 때, 젊은이가 한 말의 내용으로 알맞지 <u>않은</u> 것은 무엇인가요? ( )

① 주막 주인도 정직한 마음씨에 대한 보답을 받은 셈이다.
② 금덩이로 아이를 구했으니 자신은 오히려 좋은 일을 한 셈이다.
③ 금덩이보다 더 귀한 물건을 그에 대한 보답으로 해 주길 바란다.
④ 주막에 금덩이를 떨어뜨리고 나왔을 때부터 그것은 자신의 물건이 아니었다.

> 🖐 **이야기 글의 주제 파악하기** 이야기 글의 주제를 파악하려면 이야기의 제목과 내용, 글에 나오는 인물의 말과 행동 등을 통해 글쓴이가 전하고자 하는 생각이 무엇인지 파악하면 됩니다.

글의 주제 파악하기

4 이 글의 주제로 알맞은 것을 두 가지 고르세요. ( )

① 사람 목숨이 세상에서 가장 중요하다.
② 정직한 마음씨를 가지면 복을 받는다.
③ 작은 재물도 꾸준히 성실하게 모으면 언젠가는 늘어난다.
④ 긴급한 일이 생길 때를 대비하여 준비하는 자세가 필요하다.

● 다음 글을 읽고, 물음에 답하세요.

당나귀 한 마리가 땀을 뻘뻘 흘리며 소금 가마니를 지고 걸어가고 있었습니다. 당나귀의 주인이 장에서 사 온 소금 가마니였습니다.

'뭐가 들었기에 이렇게 무거울까?'

그때, 시냇물을 건너던 당나귀는 그만 미끄러운 돌을 밟고 시냇물에 빠졌습니다. 간신히 일어선 당나귀는 짐이 굉장히 가벼워진 것에 깜짝 놀랐습니다.

'그래, 물에 들어갔다 나오면 무거운 짐도 가벼워지는구나.'

며칠 뒤, 당나귀와 주인은 이불솜을 장에 내다 팔러 갔습니다. 당나귀는 가벼운 솜을 등에 지고 신나게 걸어가고 있었습니다.

얼마 전에 물에 빠졌던 곳에 다다르자, 당나귀는 일부러 발을 헛디뎌 넘어졌습니다.

그런데 이게 웬일입니까? 물에 빠지면 가벼워질 줄 알았던 짐이 너무 무거워서 일어설 수조차 없었습니다. / 솜이 물에 젖으면 몇 배로 무거워진다는 것을 당나귀는 몰랐던 것입니다. 자기 꾀에 넘어간 당나귀는 장까지 그 먼 길을 젖은 솜을 짊어진 채 끙끙거리며 걸어갔습니다.

5 당나귀가 겪은 일이 무엇인지 (   ) 안에 들어갈 알맞은 말을 골라 ○표 하고, 이를 통해 알 수 있는 글의 주제를 쓰시오.

당나귀는 (이불솜, 소금 가마니)을/를 지고 가다 시냇물에 빠져 짐이 가벼워진 것을 보고 다음에 일부러 물에 빠지지만, (이불솜, 소금 가마니)이/가 든 짐은 물에 젖어 무거워졌다.

→ (   )

오늘 독해는?

5문제 중   개를 맞혔어요!

독해 원리 학습

글의 주제 파악하기

1 **설명하는 글의 주제**

글쓴이가 읽는 이에게 설명하고자 하는 내용, 글의 중심 내용, 글의 제목 등을 통해서 파악한다.

2 **시의 주제**

시의 제목과 내용, 말하는 이의 마음, 시에서 핵심적으로 쓰인 시어 등을 통해서 파악한다.

3 **이야기 글의 주제**

이야기의 제목과 내용, 글에 나오는 인물의 말과 행동 등을 통해 글쓴이가 전하고자 하는 생각을 파악한다.

글에서 가장 전하고 싶은 내용이 무엇인지 파악하면
글의 주제를 쉽게 찾을 수 있습니다.

17. 위 글의 글쓴이가 독자에게 전달하고자 하는 핵심 논지로 알맞은
   것은?

핵심 논지

① 역사가는 당대의 사건에 대해서
② 역사가는 서술 대상과 거리를 두고 냉엄하게 판단한다.
③ 역사가는 주관적 판단을 배제하기 위해 대상을 철저하게 조사
   한다.
④ 역사가의 역사
   받는다.
⑤ 역사가의 역사
   는 것이다.

'핵심 논지'란 글의 중심 생각을 어렵게 표현한 말이에요.
수능에는 글의 중심 생각, 작품의 주제를 묻는 문제가 나와요.

상위권의 기준

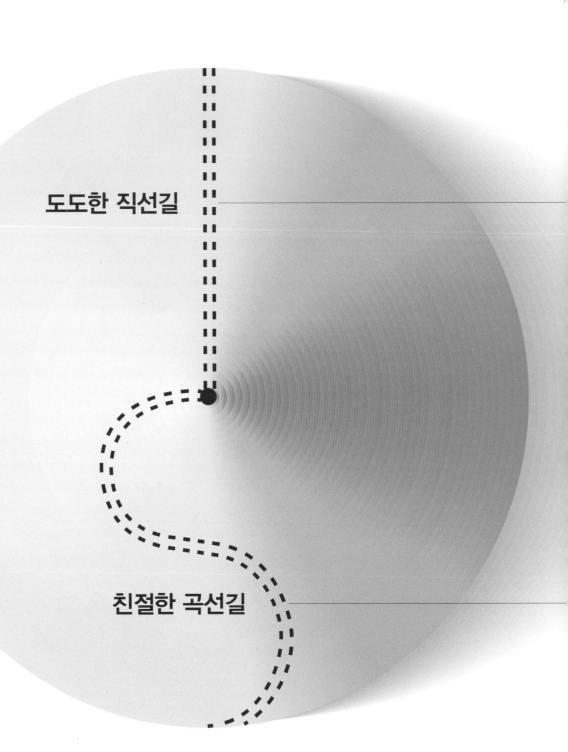

도도한 직선길

친절한 곡선길

4

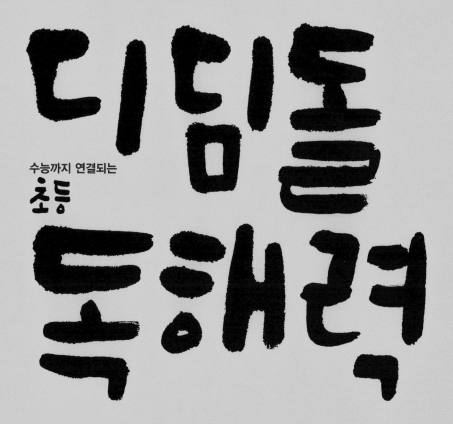

수능까지 연결되는

초등

디딤돌 독해력

정답과 해설

수능까지 연결되는
초등

디딤돌 독해력

정답과 해설

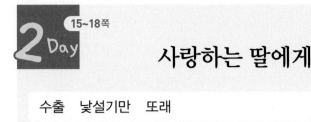

주사 맞던 날

방아   왁자한   금세

1 ④   **2** ❶ 시끄러움   ❷ 긴장됨
3 ❶ ✕   **4** ②   **5** 유나

사랑하는 딸에게

수출   낯설기만   또래

1 ③   **2** ❶ ○   **3** ㉰
4 ③   **5** ②

1 '나'는 교실에서 다른 친구들과 함께 예방 주사를 맞을 차례를 기다리고 있습니다.

2 예방 주사를 놓으려고 의사 선생님이 들어오시자 왁자한 교실 안이 금세 꽁꽁 얼어붙었다고 했습니다. 이를 통해 시끄러웠던 교실이 긴장되는 분위기로 바뀐 것을 알 수 있습니다.

3 1연은 의사 선생님이 교실 안으로 들어오시는 모습을 표현한 부분입니다. 3연은 주사 맞을 차례를 기다리며 긴장되고 떨리는 마음, 6연은 주사를 맞는 것이 무서워 눈물이 나는 마음을 짐작할 수 있습니다.

4 이 시에는 주사를 맞을 차례를 기다리며 주사를 맞을 일이 걱정되고 무서워하는 '나'의 마음이 생생하게 나타나 있습니다.

5 주사를 맞는 일을 걱정하고 무서워하는 '나'와 치과에 가서 진찰을 받기 전에 아플까 봐 두려워한 경험을 말한 유나가 비슷한 마음이 들었습니다.

1 이 글은 주현이 아버지께서 사랑하는 딸인 주현이에게 쓴 편지글입니다.

2 편지의 내용으로 보아, 주현이 아버지는 회사 일 때문에 일 년 정도 외국에 나와 계시며 '쓴 사람'이 나오는 부분을 통해 현재 뉴욕에 계시다는 것을 알 수 있습니다.

3 글쓴이는 편지의 앞부분에 일하는 회사에서 만든 제품을 유럽 지역에 수출하게 된 일을 알리며 얼마나 기쁜지 모르겠다는 마음을 함께 전하였습니다.

4 글쓴이는 편지의 끝부분에 다음 달에 이곳을 떠나 한국에서 다시 일하게 되었다는 소식을 다른 가족에게 전하라고 썼습니다.

5 주현이 아버지께서 주현이를 포함한 가족들을 그리워하고 사랑하는 마음이 느껴지는 편지글입니다.

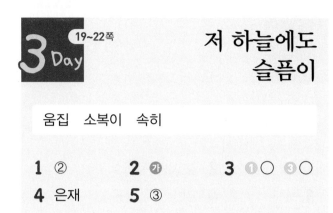

움집 소복이 속히

1 ②
2 ㉮
3 ❶○ ❸○
4 은재
5 ③

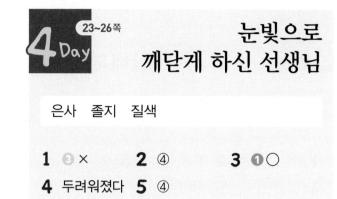

은사 졸지 질색

1 ❸×
2 ④
3 ❶○
4 두려워졌다
5 ④

1 글쓴이는 어머니가 집을 나가 버렸고, 살던 곳에서 쫓겨나 움집으로 이사를 왔으며, 동생 순나도 집에 들어오지 않고 있는 상황입니다.

2 '나는 남산동에서 쫓겨난 일을 생각하면 아버지가 자꾸만 미워지고 어머니가 얼마나 원망스러운지 모릅니다.', '순나야, 나는 기쁜 일이 있어도 순나 네 생각만 하면 슬픔이 소복이 가슴에 모여 눈물이 난다.', '굶더라도 서로 헤어지지 말고 한 집에서 같이 살자.'라는 부분을 통해 글쓴이의 마음을 짐작할 수 있습니다.

3 어렵고 힘든 상황에서 살아가는 글쓴이의 처지와 반대되어 글쓴이의 마음을 대조적으로 나타내는 부분은 구름 한 점 없이 맑은 하늘과 백화점에서 나오던 아주머니와 세 아이들입니다.

4 글쓴이가 자신의 처지를 안타까워하고, 보고 싶은 동생 순나를 생각하며 슬퍼하는 마음이 느껴집니다.

5 동생 순나가 빨리 집으로 돌아오길 바라고, 헤어지지 말고 모여 살며, 언젠가는 우리도 잘사는 날이 있을 거라는 말을 전하였습니다.

1 수학 시험을 앞두고 글쓴이는 잘 못하는 과목이어서 시험을 못 보면 친구들이 실망하고 무시하지는 않을지 걱정하였습니다. 그래서 밤을 새서라도 공부를 하겠다는 생각 대신 조그맣게 종이를 오려서 헷갈리는 문제 몇 개를 풀어 써 놓고 그 종이를 깡통 필통의 깔개 밑에 집어넣었습니다.

2 글쓴이는 전날 밤에 문제를 풀어 써 놓은 종이를 필통 깔개 밑에 두고 몰래 보았습니다.

3 글쓴이의 잘못된 행동을 보신 선생님께서는 혼내시기는커녕 교탁에 서서 글쓴이를 보고 웃고 계셨습니다.

4 글쓴이는 선생님께 커닝한 것을 들키게 되어 부끄러워졌고, 스타 자리도 끝나고 퇴학까지 당하게 될까 봐 두려워졌습니다.

5 선생님께서 커닝한 자신을 크게 혼내시지 않고 오히려 말없이 웃어 주심으로써 글쓴이 자신을 반성하게 한 것을 통해 올바른 길이 무엇인지 가르쳐 주셨다는 뜻입니다.

27~30쪽

5 Day

안네의 일기

폭격 은신처 뿔뿔이 오싹했단다

1 ②   **2** ㉡   **3** ②
4 ③   **5** 성빈

35~38쪽

1 Day

씨름 장사 동이

건장한 몸집 장사 탄성

1 ㉢   **2** 김 서방, 동이
3 ①   **4** 유빈   **5** ①

1 글쓴이가 글을 쓴 당시에는 전쟁으로 유대인들이 독일군에게 끌려다니고 있었습니다.

2 ㉡은 글쓴이가 처한 상황에서 볼 수 있는 현실을 쓴 부분입니다. 나머지는 독일군에게 잡힐까 봐 걱정되고 두려워하는 글쓴이의 마음을 알 수 있는 부분입니다.

3 글쓴이는 은신처에서 숨어 지내는 것이 불편하면서도 들키게 될까 봐 불안하고 두려운 마음입니다. 그래서 하루빨리 현재의 상황이 끝나기를 바라고 있습니다. 이러한 일상이 지루하고 따분하다는 내용은 나오지 않습니다.

4 숨어 지내면서 전쟁의 상황을 알기 위해 라디오를 듣고 있는 글쓴이와 가족들을 누군가가 경찰에 알리기라도 한다면 독일군에게 모두 끌려가서 다시는 함께 모일 수 없게 될 것이라는 생각이 담겨 있습니다.

5 힘들고 두려운 상황에서도 일기를 쓴 안네가 대단하다고 여기거나 안네와 달리 작은 일에도 쉽게 힘들어하고 포기했던 자신을 반성하는 생각을 말할 수 있습니다.

1 이 글에서 일이 일어난 때는 '씨름하는 날'에서 찾을 수 있습니다.

2 이야기에 등장하는 여러 인물들 중에서 어떤 일을 겪는 데 중심이 되는 역할을 하는 인물을 중심 인물이라고 합니다. 그러므로 이 글에서는 김 서방과 동이가 중심 인물이 됩니다.

3 동이는 홀어머니를 모시고 사는 윗마을 효자이며 꾀가 많고 씨름 기술도 많이 알고 있다고 나와 있습니다.

4 이 글에서는 몸집이 작은 동이가 작년에 씨름 장사였던 김 서방을 이기고 소년 장사가 되었다는 사건이 중심 사건이 됩니다.

5 이 글은 김 서방과 동이의 씨름이 벌어지는 씨름판을 배경으로 신나고 흥겨운 잔치 분위기가 느껴집니다.

나비야, 날아라

송골송골   활기찬   사육   성금

1 '나'(선생님), 현아, 반 아이들 **2** ③
3 ①, ③   **4** ②   **5** ④

1 이 글에는 말하는 이인 '나'(선생님)를 포함하여 현아와 반 아이들이 나옵니다.

2 '현아는 심장이 약한 아이였습니다. 조금만 뛰어도 숨이 차서 몹시 괴로워하는 아이였습니다.'라는 부분을 통해 다른 친구들과 달리 현아가 체육을 하지 않고 교실에 남아 있는 까닭을 알 수 있습니다.

3 이 글에서는 선생님과 현아가 이야기를 나누는 배경으로 교실이 나오고, 반 아이들이 공놀이를 하고 수술을 하러 가는 현아를 친구들과 선생님이 마중하는 배경으로 운동장이 나옵니다.

4 이 글에서 사육 상자 속에 있던 번데기 두 마리는 어느새 배추흰나비가 되어 그중 한 마리가 눈부신 햇살 속에서 춤을 추고 있었습니다. 이는 수술 후에 건강하고 자유로워질 현아의 모습을 상징하는 것으로 볼 수 있습니다.

5 사육 상자 속에 있던 번데기 중에서 두 마리가 배추흰나비가 되어 있었다고 했습니다.

꽃잎으로 쓴 글자

흘깃흘깃   또랑또랑   쾌활하였다

1 ㉠, ㉢   **2** ㉯
3 ❶-㉮ ❷-㉰   **4** 얼, 말, 글
5 ③

1 ㉠에서 '운동장', ㉢에서 '방 안'이라고 나온 부분을 통해 공간적 배경을 알 수 있습니다.

2 이 글은 우리나라가 일본에 의해 강제로 나라를 빼앗겼던 일제 강점기를 배경으로 승우가 겪게 되는 이야기입니다.

3 "아무리 모진 겨울일지라도 뿌리만 얼어 죽지 않으면 반드시 잎이 돋고 꽃이 핀다."는 아버지의 말씀 중에 '모진 겨울'은 일제 강점기의 우리나라를, '잎과 꽃'은 '우리나라의 독립'을 뜻합니다.

4 아버지께서는 승우에게 나라와 민족의 뿌리는 얼과 말과 글이라며 이것만 있으면 아무리 모진 비바람에 시달려도 언젠가는 반드시 살아나 꽃을 피울 것이라는 말씀을 전하셨습니다.

5 승우는 어머니께서 꽃잎으로 '산, 하늘, 별'이라고 우리글을 쓰신 것을 보고 감동을 받아 가슴이 벅차올라 울렁거리는 감정을 느꼈습니다.

4 Day
47~50쪽

항아리의 노래

미적지근한   정열적   산산이

1 ②, ④ **2** 가 **3** ②
4 민영 **5** ❶ ○

5 Day
51~54쪽

사랑의 학교

병석   명중   업신여기는   비겁한

1 ③ **2** ② **3** 나, 가, 다, 라
4 민하 **5** ③

1 소금 항아리와 고추장 항아리가 금 간 항아리를 두고 나누는 대화를 통해 두 항아리가 잘난 척을 하고 남을 잘 배려하지 않는 성격임을 알 수 있습니다.

2 금 간 항아리는 아무것도 담지 못하고 쓸모 없는 몸으로 살아갈 바에야 차라리 산산이 부서지는 게 낫다는 생각을 갖고 있었습니다.

3 어느 날 바람이 금 간 항아리 가슴에 안기면서 금 간 항아리가 쓸모없는 항아리가 아닌 것을 일깨워 주어 금 간 항아리의 생각이 바뀌게 됩니다.

4 바람은 금 간 항아리가 소금 항아리나 고추장 항아리와 하나도 다를 게 없다고 말하였습니다. 또한 똑같은 그릇이지만 무엇을 담느냐에 따라 달라질 뿐이라며, 금 간 항아리는 아무것도 담지 않고 비어 있기 때문에 앞으로도 많은 것을 담을 수 있다는 긍정적이고 희망적인 말을 해 주었습니다.

5 금 간 항아리는 바람을 만난 이후로 자기 자신이 쓸모 있는 항아리라는 긍정적인 생각을 갖게 되었을 것입니다.

1 ㉠의 아이들은 크로시를 괴롭히고 놀렸지만 선생님께 크로시에 대하여 거짓말을 하지는 않았습니다.

2 크로시는 친구들이 자신을 놀리는 것은 참았지만 병석에 누워 계신 어머니를 흉보자 너무 화가 나 잉크병을 집어 던졌습니다.

3 아이들이 크로시를 놀리자 화가 난 크로시가 던진 잉크병이 선생님의 앞가슴에 명중하였습니다. 선생님께서 누구의 짓인지 묻자 대신 갈로네가 자신이 한 짓이라며 일어났지만, 결국 크로시가 자신의 잘못임을 밝히고 크로시를 놀린 아이들은 꾸중을 들었습니다.

4 갈로네가 자신이 한 짓이 아닌데도 선생님께 자신의 잘못이라고 말한 까닭은 크로시가 선생님께 혼까지 나면 더 속상할 것 같은 생각이 들었기 때문임을 짐작할 수 있습니다.

5 크로시가 다른 아이들에게 놀림을 받아 잉크병을 던져 혼이 날 수 있는 상황에서 갈로네가 대신 잘못을 뒤집어쓰려고 한 말과 행동을 통해 갈로네가 자신이 희생하여 남을 지켜 주려는 배려심 많고 착한 성격이라는 것을 짐작할 수 있습니다.

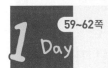

59~62쪽

1 Day

삼년고개

하필   벌렁   벌컥

1 ④   **2** ㉯   **3** ❶○
4 ❶㉯ ❷㉣   **5** 태옥

1 이 글에서는 할아버지가 넘어지면 삼 년밖에 살지 못한다는 삼년고개에서 넘어지는 일이 중심 사건이 됩니다.

2 할아버지는 삼년고개에서 넘어지고 나서 삼 년밖에 살지 못하게 된다는 생각에 이런저런 걱정을 하다가 결국 병까지 나고 말았습니다.

3 옆집 소년은 삼년고개에서 넘어지고 나서 걱정하느라 병까지 난 할아버지를 찾아와 삼년고개로 가서 또 넘어지라는 말을 하였습니다.

4 옆집 소년이 할아버지에게 삼년고개로 가서 또 넘어지라고 한 말에 담긴 뜻은 삼년고개에서 넘어지면 삼 년밖에 살 수 없다는 할아버지의 생각을 뒤집어 한 번 넘어질 때마다 삼 년씩 더 살 수 있다는 뜻입니다. 이를 통해 같은 상황도 긍정적으로 생각하는 옆집 소년의 성격을 짐작할 수 있습니다.

5 할아버지가 삼년고개로 가서 더 넘어지라는 말에 담긴 뜻을 이해하고 삼년고개로 가서 계속 굴러 넘어지게 되는 내용을 이어질 내용으로 짐작할 수 있습니다.

63~66쪽

2 Day

송아지 내기

설움   통곡   올찬   화들짝

1 송아지, 졌다, 동해   **2** ㉯   **3** ④
4 ④   **5** ㉮ 영도 할머니께서 동해와의 내기가 장난이었다고 말씀하시면서 송아지를 가져가지 않겠다고 말씀하실 것이다.

1 동해가 영도 할머니와 송아지 내기를 하고 윷놀이를 하였지만 결국 동해가 지게 되고, 동해는 송아지를 뺏길 생각에 내기를 한 것을 후회하던 중에 동해네 소가 송아지를 낳은 일로 이어집니다.

2 어른들이 동해를 놀리느라 송아지 내기로 장난을 하는 것을 동해가 눈치채지 못하게 서로 눈길을 주고받는 것을 뜻하는 부분입니다.

3 동해는 송아지를 낳았다는 소식에 영도 할머니에게 송아지를 빼앗길 것 같은 생각에 조금도 기뻐하지 않았습니다.

4 동해는 송아지 내기를 앞두고 자신만만했다가 내기에 져서 송아지를 빼앗기게 되자 자신이 한 일을 후회하고 있습니다.

5 동해가 송아지 내기에 지고 나서 영도 할머니에게 송아지를 빼앗기게 될까 봐 걱정하는 내용에 자연스럽게 이어질 내용을 써야 합니다.

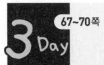

3 Day 67~70쪽
장님의 꾀

푼푼이 궁리 동네방네 엉큼한

1 가, 라, 다, 마, 나   **2** ❶ 나 ❷ 다
3 ❷ ○   **4** 서영   **5** ❷ ○

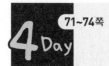

4 Day 71~74쪽
네덜란드의 꼬마 영웅

꼬박 욱신거리다 엷은 단박

1 ④   **2** 물줄기   **3** ③
4 ❷ ○   **5** 도균

1 장님이 돈 오백 냥을 뒷마당에 묻어 두는 것을 이웃집 영감이 보게 되어 훔쳐 가고, 돈을 잃게 된 장님이 꾀를 내어 돈 천 냥을 오백 냥 묻은 곳에 같이 넣어 두어야겠다고 한 말을 이웃집 영감이 듣게 된 일로 이어집니다.

2 장님은 돈을 잃게 된 것을 알고 꾀를 내어 돈을 찾으려고 한 것으로 보아 꾀가 많은 성격이고, 이웃집 영감은 자신의 돈이 아닌데도 훔쳐 간 것은 물론 돈을 더 훔치려고 한 것으로 보아 욕심이 많은 성격임을 알 수 있습니다.

3 장님의 말을 듣고 돈을 더 훔치려고 생각하는 이웃집 영감의 생각을 찾아봅니다.

4 장님은 일부러 자신의 돈을 훔친 도둑에게 들리도록 돈 천 냥을 먼저 묻어 둔 오백 냥이 있던 곳에 두어야겠다고 말했습니다. 그러면 도둑은 욕심이 많아 먼저 훔쳐 간 돈을 원래 자리에 둘 것으로 생각했기 때문입니다.

5 이웃집 영감이 장님의 꾀에 속아 넘어가 훔친 돈 오백 냥을 원래 자리에 도로 갖다 묻어 놓고, 장님은 그 돈을 꺼내 아무도 모르는 곳에 조용히 숨겨 둘 것입니다.

1 피터가 살고 있는 네덜란드는 나라의 대부분이 바다보다 낮아 높다란 둑이 없으면 북해의 바닷물이 밀려 들어와 온 나라가 둑에 잠기고 만다는 내용이 처음에 나옵니다.

2 어머니의 심부름을 다녀오던 피터는 둑에 뚫린 작은 구멍으로 물줄기가 가늘게 새어 나오고 있는 것을 보게 되었습니다.

3 피터는 둑에 뚫린 작은 구멍으로 새어 나오는 물줄기를 보고 당장 둑을 기어 내려가 그 작은 구멍에 손가락을 끼워 물을 막았습니다.

4 이어질 이야기로 일부 제시된 내용으로 보아 피터를 보게 된 아저씨 덕분에 사람들이 피터가 물을 막고 있었다는 것을 알게 되고, 피터의 용감함으로 생명을 구하게 된 것을 고마워하게 되는 내용을 짐작할 수 있습니다.

5 피터가 사람들을 구하기 위해 밤새 둑에서 물이 새는 것을 자신의 몸으로 막은 행동을 보고 용기를 잃지 않은 것을 대단하다고 생각할 수 있습니다.

금강초롱

까마득히 오순도순 기특한 사정

1 달, 계수나무   **2** ④
3 ③   **4** ㉯

1 동생은 약초를 찾아 숲속을 헤매다가 어떤 할아버지를 만나 달에 있는 계수나무 열매를 먹으면 누나의 병이 낫는다는 말을 듣고 하늘이 가까운 곳으로 가기 위해 금강산 꼭대기 비로봉으로 가려고 했습니다.

2 비로봉 꼭대기에 오른 동생은 선녀가 바위에 난 작은 구멍에서 구슬 하나를 꺼낸 것을 보고 같은 방법으로 구슬을 꺼내 하늘에 비추어 하늘에서 내려온 사다리를 타고 하늘로 올라갔습니다.

3 하늘에 올라간 동생이 달에 온 사정을 계수나무를 지키고 있던 옥토끼에게 말하자 옥토끼는 동생을 기특하게 여기며 계수나무 열매를 동생에게 주었습니다.

4 ㉠에서 옥토끼는 하늘 왕이 아시면 화를 낼 것이라며 얼른 내려가라고 말했습니다. 이를 보고 하늘 왕을 새로운 인물로 등장시켜 옥토끼의 말대로 동생이 하늘 나라에 올라온 걸 알게 된 하늘 왕이 크게 화를 내어 동생을 벌하고, 이 모습을 동생을 걱정하며 비로봉으로 오고 있던 누나가 보게 되는 이야기로 쓸 수 있습니다.

막 버리지 마세요!

어처구니 매립장 일부

1 ①   **2** ①, ④   **3** ㉰
4 ❷○   **5** 주희

1 플라스틱이나 종이 상자로 포장된 물건을 살 때 그 물건과 함께 쓰레기를 사고 돈을 지불하고 있다는 사실은 결국 포장지가 쓰레기로 버려진다는 것을 뜻합니다.

2 일단 석유를 플라스틱으로 만든 후에는 다시 바꿀 수가 없으며, 미국인들은 한 시간에 250만 개의 플라스틱 병을 사용하며 대부분은 그냥 버려진다는 내용이 나옵니다.

3 물건을 살 때마다 지구를 도와줄 수 있는 기회를 가질 수 있다는 것은 물건을 살 때 플라스틱 포장을 줄이는 것만으로도 지구의 환경을 지킬 수 있다는 의견을 전하는 표현입니다.

4 '표어'는 사람들에게 호소하거나 생각을 일깨우는 짧은 글입니다. 플라스틱 포장을 줄여서 지구의 환경을 지키자는 글쓴이의 의견을 표어로 간단하게 전하는 문구를 찾아봅니다.

5 포장지 대신에 보자기로 선물을 싸서 준 주희가 플라스틱 포장을 줄이자는 글쓴이의 의견을 생각하여 실천한 친구로 알맞습니다.

2 Day 아름다운 용기

| 직감적 | 담보 | 의로운 | 담담함 |

1 ②　　　**2** ❶○　　　**3** ④
4 ❹　　　**5** 정우

1 이 글은 한 역무원이 지하철 승강장에서 위험에 처한 아이를 구하고 두 발목을 잃게 된 실제 사건을 바탕으로 쓴 글입니다.

2 '살신성인'은 옳은 일을 위해 목숨을 버린다는 뜻으로, 자신을 희생하면서 아이를 구한 역무원의 행동과 관련된 사자성어입니다. '고진감래'는 고생 끝에 즐거움이 온다는 뜻이고, '동병상련'은 어려운 처지에 있는 사람끼리 동정하고 돕는다는 뜻입니다.

3 ㉠은 역무원 김씨의 행동을 전하는 사실이고, ㉡은 공자가 남긴 말을 쓴 부분입니다. ㉢과 ㉣은 역무원 김씨의 행동에 대한 글쓴이의 의견이 담겨 있는 부분입니다.

4 글쓴이는 역무원 김씨의 용감한 행동과 관련된 사건을 알리고, 이에 대하여 남을 위해 자신을 희생하는 용기 있는 의인들 덕분에 우리 사회가 함께해서 더 아름다운 공동체가 된다는 의견을 전하고 있습니다.

5 자신의 개인적인 목적이 아니라 다른 사람을 위해 용기 있는 행동을 한 경험을 말한 친구는 정우입니다.

3 Day 우리말을 아끼자

| 정겹다 | 무분별 | 정서 |

1 ③　　　**2** ❶-㉯ ❷-㉱ ❸-㉮ ❹-㉰
3 ❶ ㉠, ㉣　❷ ㉡, ㉢, ㉤　　　**4** ③
5 ❸○

1 글 (가)와 (나)는 무분별하게 사용되는 외국 말에 대하여 알리고 아름다운 우리말을 사용하자는 의견을 전하고 있습니다.

2 글 (가)와 (나)에 외국 말을 우리말로 바꾼 예가 제시되어 있습니다.

3 ㉠과 ㉣은 외국 말을 많이 사용하는 경우를 사실로 제시한 부분이고, ㉡, ㉢, ㉤은 이에 대하여 아름다운 우리말을 쓰자는 의견을 전하고 있는 부분입니다.

4 우리말에 적절한 낱말이 없어서 외국 말을 받아들인 경우도 있겠지만, 적절한 우리말이 있는데도 외국 말을 아무 생각 없이 섞어서 쓸 때가 너무 많다고 하였습니다.

5 아름다운 우리말을 가꾸기 위해 외국 말을 우리말로 바꾸어 쓰려고 노력하는 일을 실천할 수 있습니다.

❶ 갯벌은 어떤 일을 할까요?
❷ 원래는 바다였대요

생태계 복원 간척 확보

1 다, 라   **2** ②   **3** 개발, 보존
4 ④   **5** ❶사 ❷사 ❸자 ❹의

---

1 갯벌은 강을 따라 흘러온 육지의 오염 물질을 걸러 주고, 해일과 태풍이 주는 피해로부터 육지를 지켜 준다는 내용이 나옵니다.

2 글쓴이는 갯벌이 여러 가지 역할을 하는데도 불구하고 요즈음에 갯벌이 많이 없어지고 있는 것을 문제 상황으로 생각하고 있습니다.

3 갯벌이 주는 여러 가지 이로움을 사실로 제시하여 갯벌은 개발보다 보존하는 것이 더 중요하고 가치 있다는 의견을 전하였습니다.

4 갯벌의 중요성을 알리기 위하여 제시한 뒷받침 내용으로 갯벌은 한번 없어지면 복원이 잘 되지 않으며 갯벌이 해일과 태풍이 주는 피해로부터 육지를 지켜 주고, 갯벌이 주는 이로움이 개발로 얻게 되는 이익보다 훨씬 크다는 사실을 알리고 있습니다. ④는 글에 나오지 않으며 글쓴이의 의견과도 반대됩니다.

5 이 글은 갯벌을 막아 땅을 확보하자는 의견이 담긴 글로 ❶~❸의 내용을 의견을 뒷받침하는 사실로 제시하고 있습니다.

생명 되찾은 서울 난지도

그윽해 경계 지속적 추진

1 다   **2** ②   **3** 복원력, 노력
4 ④   **5** 유하

---

1 쓰레기 산이라고 불리었던 난지도가 생명의 땅으로 바뀌었다는 것은 앞에 나오는 내용대로 난지도에 꼬마물떼새 한 쌍이 나타나 세 마리의 새끼를 낳은 일을 뜻합니다.

2 난지도는 원래 난초의 향이 그윽해 붙은 이름입니다.

3 난지도는 자연의 위대한 복원력과 인간의 노력이 어우러진 결과 생명의 땅이 되었다는 내용이 나옵니다.

4 서울시는 공원화 사업을 추진하면서 토양 안정화를 위해 쓰레기 위에 흙을 덮었고, 유해 가스 처리를 위한 시설도 만들었으며, 물을 막는 벽을 설치해 쓰레기에서 흘러나오는 물을 처리했습니다. 또한 한강물을 끌어 들여 오염에 찌든 난지천을 씻어 냈습니다.

5 글 마지막에 글쓴이는 난지도의 자연 생태 회복을 위해 앞으로도 지속적인 노력을 기울여서 새로운 생명의 땅이 되길 바란다는 의견을 제시하였습니다.

독도는 우리 땅!

침입   점령   엄연히   제정

1 ①   **2** ㉮   **3** ❶○
4 주장, 근거   **5** 유진

시험 보는 도깨비

과거   다스리는   일쑤   정체

1 ①   **2** 부모님, 말씀
3 ③   **4** ❶큰 눈 도깨비 ❷둥근 뿔
도깨비 ❸왕발 도깨비   **5** 유정

1 글 (가)에서는 독도가 우리 땅이라는 주장을 제시하고 있습니다.

2 글 (가)에서 독도가 우리 땅이라는 주장을 뒷받침하는 근거로 역사적 사실을 들고 있습니다. 삼국 시대 때 신라 장군 이사부가 울릉도와 독도를 점령하고, 조선 시대 때 공도 정책을 실시하면서 독도에 계속 관리를 보내 순찰하게 하였으며, 숙종 때 안용복이 일본을 찾아가 독도가 한국 영토임을 인정하는 외교 문서를 받아 낸 일을 제시하였습니다.

3 안용복은 울릉도와 독도가 조선의 땅이라고 강하게 주장하였고, 일본 정부도 안용복의 설득으로 울릉도와 독도가 조선의 땅임을 분명히 밝히는 문서를 써 주었습니다.

4 글 (나)는 글 (가)에서 독도가 우리 땅이라고 주장한 것을 안용복이라는 역사적 인물에 대해 자세히 설명함으로써 뒷받침하는 근거가 되고 있습니다.

5 유진이가 말한 내용은 독도가 우리 땅이라는 주장과 반대되는 근거가 됩니다.

1 도깨비는 자기의 정체가 드러나지 않게 하면서 사람들을 도와주는 일을 하기 때문에 도깨비 시험 문제 중에서 사람들을 다스리는 방법은 가장 중요하다고 하였습니다.

2 도깨비들이 풀어야 하는 마지막 시험 문제는 부모님의 말씀을 듣지 않는 아이를 변화시킬 수 있는 방법을 제시하는 것이었습니다.

3 ①은 둥근 뿔 도깨비, ②는 왕발 도깨비, ④는 큰 눈 도깨비의 의견입니다.

4 ❶은 부모님의 말씀을 잘 들으면 아이들이 좋아하는 도깨비 놀이동산에 갈 수 있는 기회를 준다는 큰 눈 도깨비의 의견, ❷는 대나무 회초리로 벌을 주어야 한다는 둥근 뿔 도깨비의 의견, ❸은 부모님께서 얼마나 고생하시는지 알게 한다는 왕발 도깨비의 의견이 좋다고 생각한 것입니다.

5 도진이는 부모님의 말씀을 듣지 않는 아이를 변화시키는 방법으로 적절하지 않은 주장을 말하였습니다.

공부를 어려서부터 해야 하나?

호기심 단서 흥미 미처

1 ㉮

2 ❶-㉮ ❷-㉯

3 ①

4 ②

5 (가)

1 글 (가)와 (나)는 공부나 교육을 어려서부터 일찍 시키는 것과 나중에 하는 것 중 어느 것이 더 좋은가에 대하여 서로 반대되는 주장을 말하였습니다.

2 글 (가)는 어릴 때에는 어려운 공부를 시키지 말아야 한다는 주장을, 글 (나)는 비슷한 시기에 비슷한 교육을 하는 것보다 필요하면 빠른 교육을 시켜야 한다는 주장을 제시하였습니다.

3 글 (가)에서는 어릴 때부터 어려운 공부를 시키지 말아야 한다는 주장을 뒷받침하는 근거로 어린아이들이 일찍부터 공부에 싫증을 내게 되며, 취미 생활을 잘 하지 못하게 되고, 어린아이들의 마음이 부담스러워진다고 하였습니다.

4 ②는 한글을 빨리 떼면 좋은 점으로 글 (나)에 제시되어 있지 않은 내용입니다.

5 아이들의 자발적인 본성에 맞게 적합한 시기를 기다렸다가 교육을 시켜야 한다고 말한 내용은 어려서부터 어려운 공부를 시키지 말아야 한다고 주장한 글 (가)와 비슷한 입장이라고 볼 수 있습니다.

독서의 필요성

교양 풍요로워지는 뭉클한 양식

1 ㉯

2 ②

3 ①

4 수진

5 ❶○ ❸○

1 글 (가)에서는 독서의 필요성에 대해 설명함으로써 독서를 즐기는 태도를 가지도록 노력하자는 주장을 제시하였습니다.

2 독서의 필요성으로 제시한 내용이 주장을 뒷받침하는 근거가 됩니다. 독서를 하면 지식을 얻고 교양을 쌓을 수 있으며 풍요로운 삶을 가꿀 수 있고, 감동과 재미를 얻으며 삶의 지혜를 배울 수 있다고 했습니다.

3 (나)는 독서 능력과 행복감의 관계에 대한 조사 결과를 그래프로 나타낸 것으로, 독서 능력이 좋은 사람이 행복감이 높다고 느낀 결과를 알 수 있습니다.

4 수진이는 독서를 통해서 직접 경험하지 않아도 경험한 것 같은 느낌과 자신만의 상상력을 키울 수 있었습니다. 하지만 동호는 책에서 얻을 수 있는 즐거움이나 좋은 점을 경험한 것을 말하지 않았습니다.

5 독서를 하자는 주장을 뒷받침하는 객관적 근거로 알맞은 것을 찾아봅니다. 독서를 할수록 뇌 기능이 활성화되는 사진이나 독서를 많이 한 사람의 대화 능력이 좋다는 연구 결과는 모두 독서의 좋은 점 또는 독서의 필요성을 뒷받침하는 근거가 됩니다.

동물 마을의 물 이야기

스며들었습니다   차분한   위기   극복

1 ③   **2** 연못   **3** ㉯, ㉰

4 ❶토끼 ❷자라   **5** ❶○

1 동물 마을의 샘에 물이 말라 가면서 동물들이 방법을 찾기 위해 서로 이야기를 나누는 내용의 글입니다.

2 토끼는 지금이라도 당장 연못을 만들자고 말하였습니다.

3 지금이라도 당장 연못을 만들자는 토끼의 주장에 대하여 사슴은 연못을 만드는 데에는 많은 시간과 노력이 필요하다며 먼저 우리가 물을 아끼기 위하여 실천할 수 있는 방법을 생각해 보고, 마을에서 물을 조금씩 덜 쓰도록 노력하자고 말하였습니다.

4 토끼는 오리네 집에서처럼 물을 받아 놓고 쓰는 것도 마을을 위해서라면 좋은 방법이라고 말하였고, 자라는 이웃 마을에 있는 커다란 연못에서 물을 빌려 오자고 말하였습니다.

5 서영이는 우선 당장 마을에서 물을 조금씩 덜 쓰도록 노력하자는 사슴의 주장에 찬성하는 생각을 말하였습니다. 예준이는 당장 연못을 만들자는 토끼와 들쥐의 주장에 반대되는 말을, 설아는 이웃 마을에서 물을 빌려 오자는 자라의 주장에 문제를 제기하는 말을 하였습니다.

아파트에서 개를 길러도 되는가

소음   위생   분야   내재

1 반대, 찬성, 알맞은   **2** 관리, 교육

3 ④   **4** ❷×   **5** 송이

1 글 (가)는 아파트에서 개를 기르는 것에 반대하는 의견을, 글 (나)는 아파트에서 개를 기르는 것에 찬성하는 의견을 썼으며, 모두 주제에 알맞은 의견을 썼습니다.

2 아파트가 많은 사람이 생활하는 공동주택이므로 개를 키우는 것은 이기적인 태도라는 글 (가)의 근거에 대하여 글 (나)에서는 주인이 주의를 기울여 개를 관리하거나 교육시키면 된다고 반박하였습니다.

3 목줄을 하지 않은 개 때문에 교통사고가 날 뻔한 적이 있기 때문에 아파트에서 개를 기르지 말자고 한 근거는 의견과의 관련성이 낮고, 객관적인 사실이 아닌 개인적인 경험이므로 적절하지 않습니다.

4 개가 심리 치료 분야에서도 마음의 안정을 찾게 해 주는 효과가 있다는 근거는 아파트에서 개를 기르는 것에 찬성한다는 의견을 뒷받침하는 근거가 되지만, 이 내용이 객관적인 사실로 믿을 만한지를 확인할 필요가 있습니다.

5 유빈이는 자신이 키우는 개의 좋은 점을 근거로 든다고 말하였기 때문에 객관적인 사실의 근거가 되지 못해 적절하지 않습니다.

135~138쪽

민재네 마을 회의

훼손 운영 공평

1 ④　　**2** ❶마을 입구 ❷마을 끝
3 유준　　**4** ②, ④
5 민재네 아버지 / ㉮, ㉯, ㉱

1 마을에 생기는 공원의 위치를 어디로 정할 것인지를 두고 서로 의견을 나누었습니다.

2 김씨 아주머니는 마을 입구에, 이씨 아주머니는 자신의 집과 가까운 마을 끝 쪽에 지어야 한다는 의견을 말하였습니다.

3 김씨 아주머니는 공원을 마을 입구에 지으면 공원을 이용하는 사람이 많아지면서 자신의 가게도 더 많은 사람이 이용할 것이라며 자신의 이익만 생각하였습니다. 이씨 아주머니는 공원을 자신의 집과 가까운 마을 끝 쪽에 지어야 어머님이 기뻐하실 것이라며 다른 사람이 받아들이기 어려운 근거를 말하였습니다.

4 유정이네 삼촌은 마을에 공원보다 도서관이 생기면 좋겠다는 의견을 말하였습니다. 이는 마을에 새로 생길 공원의 위치를 정하는 회의 주제와 관련이 없는 의견입니다.

5 민재네 아버지는 마을의 남쪽에 공원을 지어야 한다며 주제와 관련이 있는 의견을 말하였습니다. 또한 이를 뒷받침하는 근거가 많은 사람이 받아들일 수 있으며 의견과의 관련성도 있어서 적절합니다.

139~142쪽

컴퓨터도 생각할 수 있나?

공상 성능 창의적 논쟁

1 생각　　**2** 노마　　**3** ❶○
4 ❶노마 ❷나리　　**5** ①

1 노마와 나리는 컴퓨터가 생각을 할 수 있는가에 대하여 서로 다른 의견을 말하였습니다.

2 계산하고 기억하고 문제를 해결하는 능력을 생각을 하는 것이라고 말한 근거이므로 노마의 의견을 뒷받침하고 있습니다.

3 나리는 '생각한다'는 것에 대하여 새로운 것을 상상하고 창조하고 또 아름다운 것을 떠올리는 식의 일을 해낼 수 있는 것이라고 말하며 컴퓨터는 생각을 할 수 없다는 의견을 말하였습니다.

4 ❶은 컴퓨터가 생각을 할 수 있다고 말한 노마의 의견이 적절하다고 생각합니다. ❷는 컴퓨터가 생각을 할 수 없다고 말한 나리의 의견이 적절하다고 생각합니다.

5 선생님께서는 노마와 나리에게 컴퓨터가 생각을 할 수 있는지 없는지에 대하여 의견을 나누기 전에 '사람의 생각이란 어떤 것인가?'에 대해 시간을 두고 더 많이 탐구해 봐야 할 것이라고 말씀하셨습니다.

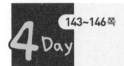

경준이네 반의 학급 회의

143~146쪽 4 Day

시력 협동 골고루 배려

1 ②　　**2** ❷○　　**3** 영인
4 ❶학급 번호 ❷분위기　　**5** ❶○

행복한 학급을 만들자

147~150쪽 5 Day

욕설 생활화 과목 틀림없이

1 ❶○　　**2** ❶-ⓝ ❷-ⓖ ❸-ⓓ
3 도균　　**4** ②
5 예선, 주제, 근거, 실천

1 경준이네 반은 자리를 어떻게 정할지에 대하여 회의를 하였습니다.

2 키순으로 자리를 정하고, 한 달에 한 번씩 자리를 바꾸자는 경준이의 의견을 뒷받침하는 근거입니다.

3 수빈이는 좋아하는 친구끼리 자유롭게 자리를 정하여 앉자는 의견을 말하였습니다. 영인이는 이 의견대로 실천할 경우 생길 수 있는 문제점을 들어 의견이 적절하지 않다고 판단하였습니다. 수빈이가 말한 근거는 의견과 관련이 있다고 볼 수 있으므로 유민이의 말은 잘못되었습니다.

4 승현이는 학급 번호 순서대로 자리를 앉고 일주일에 한 번씩 한 줄씩 자리를 옮겨 앉자는 의견을 말하였습니다. 의견에 대한 근거로 여러 친구들과 함께 골고루 짝을 할 수 있어서 좋고, 친한 친구와 장난을 치지 않아 수업 분위기도 좋아질 것이라고 하였습니다.

5 아침에 일찍 오는 순으로 자리를 정할 경우 생길 수 있는 문제점을 들어 의견의 적절성을 판단한 생각을 찾아봅니다.

1 예선, 창수, 지영이는 행복한 학급을 만들기 위하여 우리가 할 일이 무엇인지에 대한 의견을 말하였습니다.

2 행복한 학급을 만들기 위하여 친구들이 말한 의견을 찾아봅니다.

3 ㉠은 바른 말, 고운 말을 사용해야 서로 배려하는 마음이 생긴다는 근거로 의견을 뒷받침하기에 적절합니다. ㉡은 복도나 계단에서 뛰어다니면 생길 수 있는 문제점으로, 바른 말, 고운 말을 사용하자는 창수의 의견과 관련이 없는 근거이므로 적절하지 않습니다.

4 수업 시간을 줄이고 쉬는 시간을 더 늘려야 한다는 의견은 실천할 가치가 가장 높은 의견이라고 보기 어려우며 실제로 실천하기도 어렵기 때문에 적절하지 않다고 판단할 수 있습니다.

5 이 글에서 행복한 학급을 만들기 위하여 우리가 해야 할 일이 무엇인지에 대하여 주제와 관련 있고, 알맞은 근거를 들어 실천할 수 있는 의견을 말한 친구는 예선이입니다.

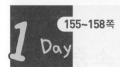

7 WEEK

1 Day 155~158쪽
낱말의 세계

포함 산울림 산골짜기

1 다인   2 ①   3 ❶뜻 ❷성질
4 ❶포함 ❷짧다, 왼쪽
5 ❶-㉰ ❷-㉮ ❸-㉯

2 Day 159~162쪽
연날리기

정초 어수선한 억세게 개어서

1 ④   2 ❶㉠ ❷㉣
3 ❶○ ❷○ 4 ④
5 방패연은 벌이줄을 매어 균형을 잡아야 한다.

---

1 다인이는 국어사전에서 비슷한 낱말을 찾았던 경험을 떠올려 말했습니다. 도진이와 영준이는 듣는 목적을 생각하거나 들은 내용을 어떻게 할지 생각하여 말하였습니다.

2 말하는 이가 십자말풀이를 하다가 낱말 사이에 어떤 관계가 있다는 것을 알게 되고 그것에 대하여 발표한 내용입니다.

3 뜻이 서로 비슷한 낱말은 서로 바꾸어 써도 문장의 뜻이 거의 달라지지 않고, 뜻이 서로 반대되는 낱말은 방향, 성질, 위치 등이 서로 반대 관계에 있는 낱말을 생각하면 됩니다.

4 발표 내용으로 낱말 사이의 여러 가지 관계 중에 세 번째로 말한 내용은 다른 낱말의 뜻을 서로 포함하거나 다른 낱말의 뜻에 포함되는 낱말입니다. 뜻이 서로 반대되는 낱말의 예로 '동-서, 길다-짧다, 오른쪽-왼쪽'이 나와 있습니다.

5 '겨울'은 '계절'에 포함되는 낱말입니다. '노고'와 '수고'는 뜻이 서로 비슷한 낱말이며, '위'와 '아래'는 뜻이 서로 반대되는 낱말입니다.

1 이 글의 3문단에 연과 관련된 역사적인 기록, 4문단에 연의 여러 가지 종류, 5문단에 연을 만드는 방법이 나와 있습니다.

2 1문단은 연날리기가 무엇인지에 대해 설명하는 문단으로 첫 번째 문장인 ㉠이 중심 문장이 됩니다. 2문단은 연날리기에 담긴 뜻에 대해 설명하는 문단으로 마지막 문장인 ㉣이 중심 문장이 됩니다.

3 3문단에 연과 관련된 여러 가지 이야기가 나와 있으며 경남 충무에서 이순신 장군을 기리기 위해 연날리기 대회가 개최된다는 이야기는 나와 있지 않습니다.

4 연줄에 부레뜸이나 풀뜸을 하면 연줄을 뻣뻣하고 억세게 할 수 있으며, 사금파리나 유리를 빻은 가루 등을 풀에 개어서 실에 올리는 것을 '개미 먹인다'라고 합니다.

5 각 문단의 중심 문장을 연결하여 전체 내용을 간추릴 때 '방패연은 벌이줄을 매어 균형을 잡아야 한다.'는 문장은 해당 문단의 중심 문장이 아니므로 들어가지 않습니다.

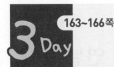

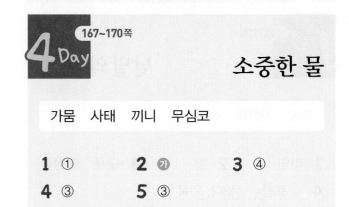

3 Day 163~166쪽 김홍도의 생애

초상화　대궐　서민　두루두루

1 ③　　**2** 민영　　**3** ③
4 ②, ④　　**5** 다, 라, 마, 가, 나

4 Day 167~170쪽 소중한 물

가뭄　사태　끼니　무심코

1 ①　　**2** 가　　**3** ④
4 ③　　**5** ③

1 김홍도가 그린 그림은 생김새며 동작, 표정 하나하나가 너무나 생생하였으며 자연 풍경이나 동물, 사람, 신선 등 모든 그림을 두루두루 잘 그렸습니다. 또한 일반 서민들이 살아가는 모습을 특히 즐겨 그렸습니다.

2 정조 임금이 세상을 떠난 뒤 벼슬자리에서 물러난 김홍도는 아들이 다니는 서당에 내야 할 돈도 마련하지 못해 쩔쩔맬 정도로 몹시 힘들게 살았습니다.

3 '마흔네 살에 김홍도는 김응환과 함께 금강산에 가서 100장도 넘는 금강산 그림을 그려 왔어요.'라고 나온 부분을 통해 일이 일어난 때를 나타내는 말을 알 수 있습니다.

4 김홍도가 서민들이 살아가는 모습을 즐겨 그리고, 연풍 고을의 현감으로 지내는 동안 자기 집안일을 뒤로 하고 굶주리는 백성들을 구하는 데에 온 힘을 쏟은 행동에서 서민들을 사랑한 마음을 알 수 있습니다.

5 '스무 살 무렵, 마흔네 살에, 마흔일곱 살에, 예순두 살쯤'과 같이 일이 일어난 때를 알려 주는 말을 찾아 당시에 김홍도가 겪은 일을 순서대로 정리하여 봅니다.

1 이 글은 물을 아껴 쓰자고 주장하기 위하여 쓴 글입니다.

2 이 글에서는 가뭄이 들지 않더라도 물이 부족해지는 사태가 머지않아 올 것이라는 문제 상황에서 물 부족 현상을 막기 위해 평소에 물을 아껴 써야 한다는 주장을 제시하였습니다.

3 물을 아껴 쓰기 위하여 일상생활에서 낭비되는 물을 아끼는 방법을 알고 실천하자는 해결 방안을 구체적으로 제시하였습니다.

4 물을 아끼기 위한 구체적인 실천 방법으로 양치나 세수를 할 때 컵이나 세면대에 물을 받아서 쓰기, 수세식 변기에 벽돌이나 물을 담은 병 넣어 두기, 설거지나 빨래를 할 때에 마지막에 헹구는 물을 다시 쓰기, 기름이 묻은 그릇은 휴지로 미리 기름을 닦아 내고 설거지 하기를 제시하였습니다. 이러한 내용이 '첫째, 둘째, 셋째, 넷째' 뒤에 각 문단의 중심 문장으로 제시되어 있습니다.

5 설거지나 빨래를 할 때에 마지막에 헹구는 물은 그냥 버리지 말고 다시 쓰자고 하였습니다.

꽃신의 꿈

171~174쪽

감격스러운 덩달아 내리쬐었습니다

1 ②　　　　**2** 생각, 행복

3 혜교　　　　**4** 예 이튿날 빗방울들은 다시 구름이 된다면 작은 꽃신을 행복하게 해 주는 꿈을 가지게 될 것이라고 말하며 수증기가 되어 하늘로 올라갔다.

1 어느 날 봄비가 내린 뒤, 버려진 외짝 꽃신 안에 풀잎이 몇 장 쌓이고, 빗물이 담겼습니다.

2 꽃신은 꼬마의 귀여운 발을 품고 있을 때에는 다른 꿈이 없었지만, 지금은 꼬마가 자신을 잊지 않고 생각해 주길 바라는 것과 자신 안에 담긴 빗방울들이 행복해지는 것을 꿈으로 갖게 되었습니다.

3 ㉠에서 자신들의 꿈을 망가뜨렸다며 꽃신을 원망했던 빗방울들이 ㉡에서 자신들 때문에 행복해하는 꽃신을 보고 조금 행복해진다고 하는 말을 통해 빗방울들의 마음이 조금씩 긍정적으로 변한 것을 알 수 있습니다.

4 버려진 외짝 꽃신에 빗방울들이 담기게 되면서 서로가 서로에게 행복해지기를 바라는 꿈을 갖게 되는 이야기를 읽고, 시간의 변화에 따라 일어나는 사건을 간단하게 정리하여 간추려 봅니다.

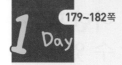

부자 나라와 가난한 나라

179~182쪽

영양실조 침울한 격차

1 ㉯　　　　**2** ①

3 빈부 격차, 영양실조　　　　**4** 윤후

5 ㉯

1 세계보건기구에서 일하는 한 연구원은 전 세계에서 생산되는 식량은 모든 사람이 먹고 남을 정도로 늘어났는데 해마다 수많은 어린이가 영양실조에 시달리고 있다는 것을 알고 깜짝 놀랐습니다.

2 부자 나라와 가난한 나라 사이의 격차는 점점 벌어지고 있었습니다.

3 글의 마지막 문단에 부자 나라와 가난한 나라 사이의 빈부 격차 문제와 제3세계 나라 국민들의 영양실조 문제는 세계의 모든 사람이 풀어야 할 심각한 문제라고 하였습니다.

4 소린이는 모금 단체에 기부금을 보내는 방법, 다인이는 결연 관계를 통해 지원을 해 주는 방법을 말하였습니다. 하지만 윤후는 도움을 주는 방법이 아니라 가난한 나라의 아이들이 스스로 일어설 수 있도록 자립심을 키워야 한다는 생각을 말하였습니다.

5 부자 나라와 가난한 나라 사이의 격차와 가난한 나라의 아이들이 굶주림에 시달리고 있는 현실을 알리고, 이들을 도울 수 있는 방법을 생각해야 한다는 것을 전하였습니다.

2 Day 183~185쪽
이런 말은 사람만 할 수 있어요

영리한 셈 엮어 지능

1 ②   2 ❶○   3 ③
4 ①   5 미주

1 이 글에 나오는 영리한 말은 주인의 말을 알아듣고 셈을 한 것이 아니라, 사람들의 얼굴 표정을 보고 눈치를 채서 답을 맞추었습니다.

2 앵무새가 말을 하거나 지능이 높은 원숭이가 카드를 사용해서 자기가 말하고 싶은 것을 표현하는 경우는 모두 그대로 배워서 그대로 말하는 동물들의 언어 활동 예입니다.

3 사람만 할 수 있는 언어 활동은 알고 있는 말들을 엮어 새로운 문장을 만들어 내는 것을 말합니다. 예를 들어 시를 쓰거나 재미난 이야기를 들려주고 토론도 하는 것과 같이 창조적인 언어 활동을 하는 것입니다.

4 이 글은 동물과 사람의 언어 활동을 비교하고 그 차이점을 알림으로써 사람처럼 창조적으로 말을 하는 동물은 없다는 주제를 담고 있습니다.

5 세훈이는 침팬지처럼 훈련받아 의사 표현을 하는 것을 말을 하는 것이라고 생각하였지만, 미주는 이 글의 주제와 마찬가지로 이는 상상하고 꾸며 낼 수도 있는 사람의 언어와 근본적으로 다르다고 생각하였습니다.

3 Day 187~190쪽
소금

섭취 유용하게 구실 유지

1 ①   2 ❶
3 염장 식품, 공업용, 일상생활
4 홍선   5 ❶○

1 오늘날 세계 소금 생산량의 약 3분의 2가 암염 덩이에서 얻어 낸 돌소금이지만, 돌소금이 전혀 나오지 않는 우리나라에서는 다른 방법으로 소금을 얻는다고 하였습니다.

2 인류의 역사에서 소금이 중요한 구실을 한 예로 옛날 여자들이 미용을 위해 소금을 이용한 내용은 나오지 않습니다.

3 소금은 음식 맛을 내거나 염장 식품을 만드는 데 사용하고, 공업용으로 쓰이거나, 일상생활에서 여러 가지로 유용하게 쓰인다는 내용이 5문단과 6문단에 나옵니다.

4 글쓴이는 소금을 얻는 방법이나 인류의 역사에서 소금이 어떤 구실을 해 왔는지, 오늘날 소금의 쓰임과 같은 정보를 알려 줌으로써 소금의 특징과 중요성을 전하였습니다.

5 소금의 특징과 중요성을 전하는 이 글의 주제를 한 문장으로 간단하게 간추린 것을 찾아봅니다. 인류의 역사상에서도 중요한 구실을 한 소금은 오늘날에도 여러 가지로 유용하게 쓰인다는 내용이 이 글의 주제로 알맞습니다.

몸무게

등불 일터 얹혀 가르침

1 ②　　　　**2** ㉮　　　　**3** 감사
4 ①　　　　**5** 유정

1 '나'의 몸무게는 어머니의 눈물 몇 방울(1연), 일터에서 흘리시던 아버지의 땀방울(2연), 선생님의 가르침과 친구들과 나눈 따뜻한 얘기들(3연)로 되어 있다고 하였습니다.

2 '나'는 자신의 몸무게가 어머니, 아버지, 선생님, 친구들과 같은 주변의 많은 사람들의 사랑과 정성으로 이루어져 있기 때문에 저울로는 달 수 없다는 표현을 썼습니다.

3 이 시는 주변에서 '나'를 도와주거나 함께하는 소중한 사람들의 사랑과 정성에 대한 감사의 마음이 느껴지는 시입니다.

4 시의 내용을 파악하고, 시에서 말하는 이의 마음을 파악하여 시에서 전하고자 하는 생각을 간단히 간추린 것을 찾아봅니다.

5 이 시를 읽고 부모님이나 선생님, 친구들을 떠올리며 감사하는 마음을 떠올리거나 이러한 마음을 '몸무게'와 연관시켜 재미있게 표현한 점을 생각하거나 느낀 점으로 떠올릴 수 있습니다. 유정이는 시에서 상징적으로 표현한 것을 이해하지 못하고 생각을 말하였습니다.

❶금덩이보다 소중한 것 ❷어리석은 당나귀

주막 허우적거리고 간신히

1 ❶금덩이 ❷헤엄　　**2** ㉭, ㉕, ㉯, ㉮
3 ③　　　　　　　　**4** ①, ②
5 소금 가마니, 이불솜, 예 잔꾀를 부리지 말자.

1 주막 주인은 젊은이가 두고 간 금덩이를 찾아 주려고 뒤따라 갔습니다. 젊은이는 자신은 헤엄을 칠 줄 몰라서 강물에 빠진 아이를 구하기 위해 금덩이를 내놓았습니다.

2 주막 주인이 젊은이가 두고 간 금덩이를 찾아 주면서 생기는 일을 이야기의 흐름에 맞게 정리해 봅니다.

3 이 글의 마지막 부분에서 젊은이가 한 말을 자세히 살펴봅니다.

4 정직한 주막 주인과 금덩이를 내놓으면서까지 아이의 목숨을 구하려고 한 젊은이의 이야기를 통해 사람 목숨이 세상에서 가장 중요하며, 정직한 마음씨를 가지면 복을 받는다는 주제를 알 수 있습니다.

5 소금 가마니를 지고 가다가 시냇물에 빠진 당나귀가 짐이 가벼워진 것을 보고 다음에 일부러 물에 빠지지만, 이불솜이 들어 있던 까닭에 오히려 짐이 더 무거워졌습니다. 당나귀의 이야기를 통해 욕심을 부리거나 잔꾀를 부리지 말아야 한다는 주제를 알 수 있습니다.

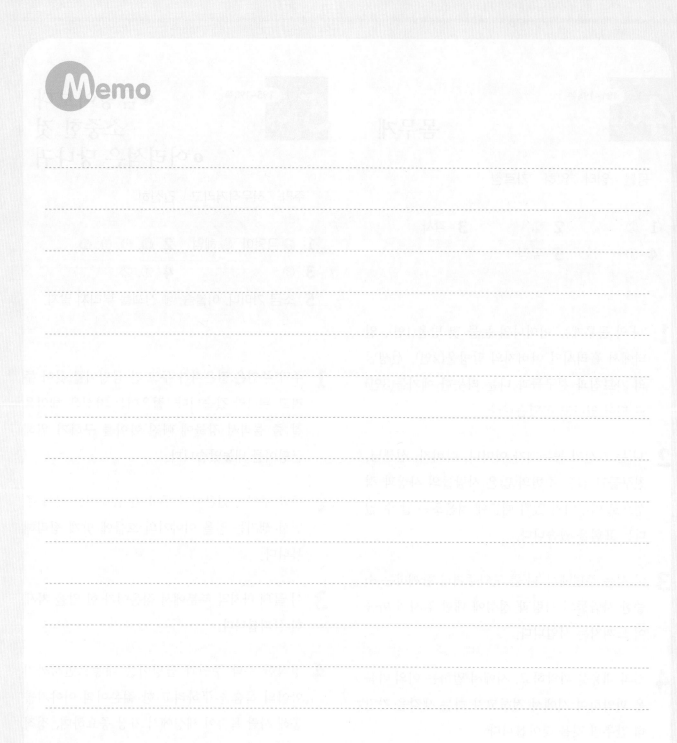

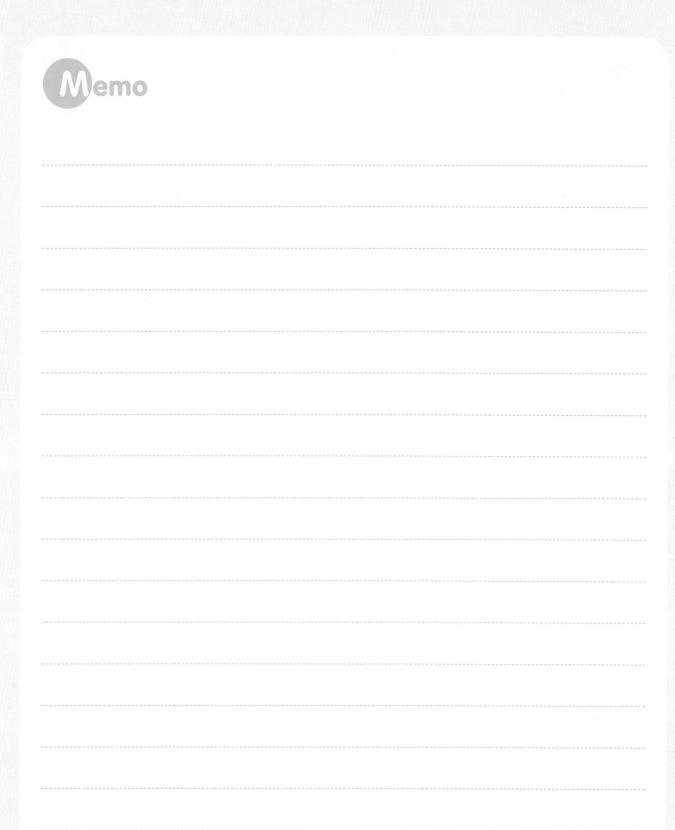

Memo

상위권의 기준

최상위
수학

수학 좀 한다면

상위권의 기준

최상위
수학
S

수학 좀 한다면

초등수학은 디딤돌!

아이의 학습 능력과 학습 목표에 따라
맞춤 선택을 할 수 있도록
다양한 교재를 제공합니다.

문제해결력 강화 문제유형, 응용

개념 다지기 원리, 기본

개념＋문제해결력 강화를 동시에
기본+유형, 기본+응용